Narratori Fe

Jana
Karšaiová

Divorzio di velluto

Prima edizione ne "I Narratori" febbraio 2022

Stampa Grafica Veneta S.p.A. di Trebaseleghe - PD

ISBN 978-88-07-03478-7

www.feltrinellieditore.it
Libri in uscita, interviste, reading,
commenti e percorsi di lettura.
Aggiornamenti quotidiani

Divorzio di velluto

A Samuel, Sylvia e Oskar

"Era, diciamo così, irrimediabilmente prigioniera delle proprie radici."

Aleksandar Hemon

Quando è entrata a Bratislava, ha avuto la sensazione di sempre, che sarebbe stata l'ultima volta, l'ha ignorata e ha seguito in automatico le indicazioni per Dúbravka, il suo quartiere.

Lungo la strada c'erano due nuovi night club, ragazze sulle insegne promettevano divertimento e discrezione. In uno di quegli edifici ogni martedì, quando era bambina, ripeteva le scale melodiche prima di addentrarsi nei preludi di Chopin o di Bach.

Alla nota sbagliata la maestra Csaková le colpiva con un righello il palmo dal basso verso l'alto, la mano schizzava in aria come un uccellino spaventato. Alle lezioni di piano aveva imparato a sopportare il dolore senza scomporsi.

In fondo alla Dúbravka vecchia, la casa era sovrastata da un condominio più alto che impediva al sole di raggiungerla, dalle pareti filtrava la sigla del telegiornale delle otto. Sua madre ha aperto la porta, l'ha guardata, poi ha guardato dietro di lei, giù per la strada, come cercando qualcuno. Katarína ha sorriso e la madre l'ha abbracciata: odorava di aglio schiacciato. Lei non ha partecipato all'abbraccio, una mano ancorata alla valigia e l'altra lungo il fianco. La madre allora si è staccata, ha detto: "Vieni, ti riscaldo la cena", ed è sparita. Suo padre è sbucato da dietro la porta del bagno, le ha messo una mano sulla spalla, l'ha tenuta più a lungo del solito, Katarína l'ha annusato e non sapeva di niente.

1.

"Sei sempre più bella! Vieni con me?" le ha chiesto suo padre il giorno dopo.

Portava un giubbotto invernale molto grosso che Katarína non gli aveva mai visto, forse un'iniziativa di sua madre. In testa aveva un cappellino da baseball nero che gli lasciava scoperta la punta del capo. Ha ripetuto la domanda: "Vieni con me?".

Katarína lo ha guardato negli occhi, poi ha annuito e ha gridato "noi andiamo" verso la cucina. Lo ha raggiunto fuori. Il marciapiede era bagnato, cosparso di grossi cristalli di sale.

"Dove andiamo?" gli ha domandato Katarína.

Jozef ha allungato il braccio, le ha mostrato una borsa a rete gialla, lei gli ha sorriso, le è venuta voglia di stringersi a lui.

Sulla Terrazza ha visto negozi nuovi. Ai tempi del comunismo la Terrazza era un centro commerciale con gli alimentari al piano terra. Dopo l'89 la struttura era stata divisa in tante piccole unità. Adesso si chiamava Jednota, l'insegna copriva quasi tutta la scritta "*Potraviny*", "Alimentari", incisa nell'intonaco grigio.

La fila era lunga, Jozef ha fatto l'occhiolino alla figlia: "Non ti preoccupare, ce ne faremo dare una grossa".

Due bambini scavavano nella sabbia bagnata dalle nevicate dei giorni precedenti, una donna con una pancia enorme era seduta sulla panchina e li guardava. Uno di loro ha scavato troppo a fondo e quando ha estratto la paletta il contenuto è schizzato verso la faccia dell'altro. La reazione è arrivata immediatamente. La donna ha ringhiato qualcosa e loro hanno smesso.

Avanzavano in fila, lo scorrere lento dei passi, le impronte degli altri. Katarína sapeva aspettare in coda, l'aveva imparato da piccola, c'erano code per tutto: per il latte, per il pane, per le scarpe, per il dottore, per uscire durante la ricreazione.

"Buon Natale!"

"Buon Natale anche a lei, *pán profesor*!"

Il pescivendolo con un grembiule verde sporco di sangue e di squame sogghignava a Jozef. Lui si è raddrizzato il cappellino in testa mettendolo più storto di prima e si è girato verso di lei.

"Ne vogliamo una grossa, vero, Katka?"

Katarína ha fissato la vasca, poi ha indicato un dorso che si curvava vicino al bordo.

L'uomo ha calato il retino, gli è bastato solo un movimento per tirarlo fuori con una carpa grossa e lucida. L'ha scaraventata nello scolapasta sulla bilancia, l'ago si è impennato:

"Quattro chili, *pán profesor*".

Jozef ha ripetuto soddisfatto: "Quattro chili!".

Katarína ha pensato che poteva essere il peso di un neonato.

Il pescivendolo ha chiesto se la volevano viva e l'ha avvolta in un foglio di giornale. Adesso le vendevano anche già pronte, ma sua madre teneva alla tradizione. La carpa è atterrata negli anelli della retina gialla di Jozef.

Prima di rientrare Katarína ha voluto fermarsi al supermercato, dentro faceva caldo, oltre il vetro suo padre dava colpetti con le punte degli scarponi sul marciapiede. La carpa ha bisogno dell'acqua, sembrava volerle dire, fa' presto.

Katarína non doveva comprare nulla, ma era entrata comunque. L'aveva scoperto a Praga: i supermercati la facevano sentire a casa. Avrebbe potuto prendere cioccolatini, candele al profumo di abete, tovaglioli natalizi oppure *medovina*, il liquore al miele.

"Kati?" si è sentita chiamare.

Viera spingeva un carrello con cinque sacchi di farina e due confezioni grandi di uova. I capelli corti parevano incollati sulla testa, forse si era tolta il berretto da poco.

Katarína ha abbassato le spalle, ha preso a giocare con il tiretto della lampo e ha farfugliato: "Quante sono?".

"Che cosa?"

Katarína ha indicato le uova.

"Sessanta," ha detto Viera.

"Ti servono sessanta uova?"

"Sono in promozione, ne prendo anche per mia madre. E poi sì, mi servono." Erano nella corsia dei superalcolici. Viera ha spinto il carrello verso di lei, lo sguardo attento. "Ti ho cercata. Pensavo mi avresti richiamata."

Katarína non ha staccato gli occhi dalla spesa. "Non saprei proprio cosa farne," ha detto.

Viera si è zittita, ha accarezzato uno dei gusci bianchi come per ripagarlo dell'offesa ricevuta. "Saremo da me come sempre stasera, se vuoi..."

"Chi?"

"Viene Daniela."

"E Mirka?"

"Ha partorito tre mesi fa."

"Ah sì, è vero."

Katarína ha fatto cenno con la testa verso le casse.

Viera ha annuito e ha mosso il carrello. "Eugen ti raggiunge per il Capodanno?" ha domandato.

"No."

Per un attimo è sembrato che Viera si aspettasse qualcosa, una spiegazione in più forse, ma poi ha ribattuto: "Io parto il 30, per il Capodanno torno in Italia". Si è sfiorata il naso come quando la infastidiva qualcosa.

Anche Katarína sarebbe dovuta partire, con Eugen. Avevano programmato di andare a Barcellona in treno.

Il sudore sulla schiena le ha fatto ricordare la carpa e suo padre fuori, l'ha cercato oltre il vetro, la retina gialla dondolava con lui. Si è congedata dall'amica in fretta. In mezzo alle porte scorrevoli, con il caldo dietro e il gelo davanti, ha sentito Viera gridare: "Alle otto, come da Tradizione".

"Certo, alle otto," ha sussurrato Katarína.

A casa, Katarína ha sciacquato più volte la vasca da bagno cercando di togliere le macchie più grosse con una spugnetta rinsecchita: "Vai".

Jozef ha appoggiato la carpa sul fondo, l'ha liberata dalla carta di giornale, poi ha messo il tappo e ha fatto scorrere l'acqua. Il flusso cadeva sulla parete giallastra. Katarína si è seduta sul bordo, come faceva quando era piccola, ha messo una mano sotto l'acqua fredda e ha toccato la carpa. Non si muoveva, apriva solo la bocca e prendeva grandi boccate d'aria. Le sembrava di vedere delle piccole dita che la palpeggiavano, che la accarezzavano, che la schizzavano, accompagnate da gridolini acuti e risate. Le sembrava di sentire la carezza di suo papà sulla testa.

"La lascio a te," ha detto il padre mentre si allontanava dal bagno e chiudeva la porta.

Katarína è rimasta vicino alla carpa. L'ha sfiorata e subito la carpa ha iniziato a nuotare dentro la vasca. Allora ha ritirato la mano per guardarla.

Quando sua madre ha aperto la porta e ha detto: "È ora", Katarína era appoggiata sul bordo come su un inginocchiatoio. La madre ha tolto il tappo, si è rialzata e ha ordinato a Jozef di portargliela in cucina. Lui ha aspettato che l'acqua fosse bassa e con uno strofinaccio ha acchiappato la carpa che si dimenava come un neonato affamato.

Dalla cucina si è sentito un colpo secco, un altro e un altro ancora. Suo padre è uscito con lo strofinaccio vuoto in mano, Katarína gli ha sorriso, lui ha alzato le spalle.

2.

Katarína ha trovato alcune scaglie della carpa nella vasca da bagno, le ha prese e le ha infilate nella pochette dei trucchi – secondo nonna Gitka, portavano fortuna –, poi si è fatta una doccia accucciata sul fondo per non schizzare fuori. Ha usato il bagnoschiuma che si era portata da Praga, lo aveva comprato a una bancarella che vendeva prodotti naturali, ne bastavano due gocce. Ne ha messe dodici per ricoprirsi di una schiuma bianca e scivolosa, tutto il bagno profumava di lavanda. Quello di Viera al supermercato era un invito? Si sforzava di ricordare la sua risposta, avrebbe potuto trovare una scusa per non andarci? Dubitava di tutto, persino delle cose più semplici, delle scelte che una volta faceva senza fatica. E rinunciava. Mentre, in camera, si asciugava i capelli con il phon minuscolo della madre, le ha scritto un messaggio: "Per cena non posso". "Vieni dopo," ha ribattuto Viera.

Katarína ha aperto la valigia. Sua madre per anni aveva sostenuto che alla Vigilia non si possono mettere i jeans e la maglietta, ma bisogna essere pronti per l'arrivo del messia. Anche se per il regime non esisteva, *Ježiško*, Gesù bambino, portava i regali lo stesso.

"Anche Viera è tornata per le feste," le aveva detto la madre la sera precedente, quando Katarína era appena arrivata. Tre anni prima Viera aveva vinto una borsa di studio all'università di Verona. Erano rimaste in silenzio quando l'aveva annunciato la sera della Tradizione, Daniela aveva alzato il calice: "*Congratulations my dear* e fanculo all'invidia!". Avevano riso, ma la festa era finita. Non si erano più viste, solo più tardi, entusiaste per la comparsa di Skype, avevano iniziato a regalarsi immagini sconnesse dall'audio, parole che arrivavano quando la bocca era già chiusa o bloccata in una smorfia imbarazzante. A vedere Viera prima, nelle luci del supermercato, le era sembrato una eco vivida di quelle lontane videochiamate. Dopo la doccia Katarína si è infilata i pantaloni eleganti e il maglioncino di cashmere nero. Ha preso il telefono e ha chiuso la porta della stanza. Ha digitato il nome di Eugen, ha appoggiato il cellulare sulla coperta, ha contato le pause tra uno squillo e l'altro. Non ha messo il vivavoce e il suono era debole, come ovattato, assorbito dalle lenzuola e dalla distanza tra sé e il letto. Quando ha risposto la voce metallica della segreteria, si è avvicinata e ha spento.

Non sapeva dopo quanto tempo hanno suonato alla porta, sulla soglia c'erano suo fratello Jojo con la moglie Olga e la piccola Magdalénka. Katarína è uscita dalla stanza ed è corsa incontro alla bambina per darle un bacio. Ha salutato Jojo e Olga e ha aspettato che si svestissero. I loro giubbotti erano bagnati, come gli scarponi e le sciarpe e i cappelli. Il naso di Magdalénka era rosso fragola e Katarína faceva finta di staccarlo e mangiarlo. La bambina rideva e protestava.

Olga ha sorriso: "Non vedeva l'ora di rivederti".

"Anche io."

Katarína ha preso Magdalénka in braccio e l'ha portata nel salone. Dalla cucina si è affacciata sua madre, le ha baciato le guance, la bambina ha riso:

"*Babka!*".

La cena era pronta, la tavola apparecchiata con i piatti di porcellana della nonna Gitka. Ogni volta che si usava quel servizio pregiato, Katarína e Jojo scherzavano sull'eredità. "Prima fatemi morire," commentava la madre.

Suo padre e suo fratello si sono seduti a capotavola, le donne in mezzo. Magdalénka ha sussurrato a Olga che la carpa non la voleva. Una volta nel piatto, Olga gliel'ha sminuzzata con attenzione. La carne era bianca e morbida.

"Nevica, davvero vuoi andare?" sua madre ha chiesto a Katarína, passandole un piatto fondo pieno di cren appena grattugiato.

Lei ne ha preso un po' e ha tirato su con il naso: "Sì, vado, è da tanto tempo che non ci vediamo al completo, forse ci sarà anche Mirka con il bambino".

"Hai tagliato i capelli?" le ha domandato Jojo, "hai un'aria diversa. Dov'è Eugen?" Suo fratello ha guardato il posto vuoto vicino a Katarína, sembrava essersene appena accorto. Anche Katarína ha sbirciato per un attimo la sedia:

"Non viviamo insieme adesso".

Sua madre ha raddrizzato la schiena, a Olga è venuto un colpo di tosse.

"Che buona carpa che abbiamo preso, Katuška," suo padre ha accennato un sorriso.

"Jozef!" l'ha ammonito la moglie.

Jojo è tornato a guardare Katarína: "Cosa significa?".

"Cosa significa?" ha ripetuto sua madre come se Katarína non l'avesse sentito.

Jojo non ha spostato gli occhi dalla sorella, alla fine lei ha risposto: "Sono due mesi che Eugen non dorme a casa".

"E dove dorme?" sua madre si è girata verso il figlio. Jojo ha alzato le spalle. Le ha fatto un segno con la mano di aspettare.

Katarína ha infilzato un pezzo della carpa e prima di metterlo in bocca ha detto: "Non lo so dove dorme. E sì, abbiamo scelto proprio bene, papà".

Sua madre si è alzata in piedi, è sparita in cucina. Si sentivano sbattere i piatti, scorrere l'acqua e le imprecazioni.

Olga ha riempito un bicchiere e ha tenuto il tovagliolo sotto il mento della bambina mentre beveva. Si è scambiata un'occhiata con Jojo, poi ha domandato: "Ma perché?".

Katarína ha bevuto un sorso di vino e si è messa le mani sul grembo: "Forse si vede con un'altra".

La madre si è affacciata alla porta, ha guardato prima il marito, poi la figlia: "Io lo sapevo che sarebbe finita così!".

"Mamma!" Jojo si è girato di colpo.

"Che c'è?"

Katarína si stritolava le dita sul ventre: "Non è...".

"Katka, non mi piace," Magdalénka indicava con il dito la poltiglia bianca sul piatto, "voglio la cotoletta."

"La cotoletta! Ma perché per una volta non le prepari una cotoletta?" Katarína ha sbattuto i pugni sul tavolo.

"Perché è la Vigilia di Natale!"

"E con questo?"

"È giorno di magro, non si mangia la carne."

Dopo l'89 sua madre, come tanti altri, era tornata a frequentare la chiesa e aveva riportato lo zelo religioso nelle loro riunioni familiari. Katarína, alle superiori, aveva scoperto la parola "autenticità": ecco, la fede di sua madre, dopo anni di silenzio, non le sembrava autentica. Era a disagio quando si fermavano davanti all'albero e la madre pregava ad alta voce oppure chiedeva la benedizione per la carpa a cui qualche ora prima aveva tagliato la testa.

Sua madre ha portato dalla cucina un piattino, Magdalénka ha ripreso la forchetta e la nonna le ha accarezzato i capelli.

"Ti preparo la cotoletta domani, *čerešnička moja*, ora mangia questi," le ha detto e mentre sostituiva la carpa con quattro bastoncini di pesce, il piattino ha traballato un po'. "Ciliegina mia", a Katarína non aveva mai detto così. Nemmeno sua madre era immune dall'incanto della nipote, ha pensato, per fortuna.

3.

La neve cadeva pesante, scricchiolava sotto i piedi, si appoggiava sulle macchine e formava uno strato compatto. Su un lato del marciapiede, un piccolo pupazzo di neve con dei legnetti infilati nella pancia bianca sembrava salutare Katarína.

La Tradizione era nata il secondo anno d'università. La neve aveva bloccato le strade e i treni rimanevano fermi in stazione. Soltanto Katarína e Viera erano di Bratislava, Daniela e Mirka non erano partite e avevano dovuto rinunciare alla Vigilia in famiglia.

Era il 2000 e a casa di Viera sua madre aveva preparato la zuppa di crauti con funghi e prugne secche, il pesce cuoceva nel forno, i rametti di abete nei vasi profumavano le stanze. La madre era uscita presto, per via di tutta quella neve temeva di perdere la messa di mezzanotte. Loro avevano giocato a Monopoli bevendo il liquore al caffè che aveva preparato. Si erano ubriacate tutte tranne Viera.

L'appartamento dove abitava la madre di Viera era al settimo piano di un condominio costruito lungo i binari del tram. Dal balcone si potevano vedere i convogli scendere verso la città e si sentiva quando acceleravano o frenavano.

Katarína ha citofonato, qualcuno le ha aperto senza chiedere e lei si è infilata nel portone. La luce si è accesa all'improvviso, una fotocellula forse, perché lei non ha premuto niente. Le pareti grigie imbrattate di scritte l'hanno accompagnata verso l'ascensore, dentro si sentiva un forte odore di piscio.

Ha aperto Viera, che l'ha tirata dentro per un braccio: il movimento brusco ha fatto cadere dal suo cappotto gli ultimi fiocchi di neve che non si erano ancora sciolti. Katarína se lo è tolto, si è sfilata gli stivali, aveva gli alluci bagnati. L'ingresso, identico in tutti gli appartamenti di Dúbravka, era minuscolo, con un appendiabiti e uno specchio a muro. Gli ospiti dovevano mettersi in fila per potersi togliere le scarpe ed entrare.

Dal soggiorno arrivavano delle voci. Daniela era seduta per terra accanto al grande pino addobbato, davanti a lei, su una tovaglia stesa, piattini, bicchieri e un vassoio con i dolci. Sembrava un pic-nic sulla moquette porpora. Parlava con Mirka, che era sprofondata nel divano con il bambino appoggiato su una spalla. Era piccolo, aveva solo tre mesi.

Le amiche hanno detto "Finalmente!", poi si sono alzate per abbracciare Katarína.

Daniela ha portato una bottiglia di champagne dalla cucina, Viera l'ha stappata facendo volare il tappo, hanno esultato e Mirka ha coperto la testa del bambino con un fazzoletto. "Shhh, dorme," ha detto.

Hanno brindato sottovoce a loro e al Natale.

Katarína ha sussurrato: "È bello rivedervi". Ha stretto Mirka a sé, con le labbra ha sfiorato la testa del bambino: era calda e sapeva di latte.

"Non potevamo farci sfuggire questa occasione," Daniela ha aperto la braccia come per accoglierle tutte.

Si sono sedute per terra. Mirka ha sistemato il bambino nell'ovetto ai piedi del divano. Daniela ha chiesto se sapevano della D'Angelo.

"Sappiamo cosa?" Katarína ha sorriso, le è sembrato di essere tornata indietro nel tempo.

La D'Angelo se ne andava, tornava definitivamente in Italia.

"*Prima o poi me ne tornerò a Parma*," Mirka ha parodiato la pronuncia italiana della professoressa e hanno riso tutte e quattro. Insegnava letteratura e cultura italiana, le aveva tormentate con un corso monografico sul Manzoni.

"Parma è lontana da Verona?" Daniela si è girata verso Viera e lei ha scosso la testa.

"Io a Parma non ci sono mai andata e con questo vi ho detto tutto."

Poi c'è stato un attimo di silenzio in cui tutte erano concentrate a masticare, a bere, a deglutire.

Mirka, guardando il bambino, ha chiesto: "E allora com'è vivere in Italia?".

A Viera è andato il vino di traverso, sembrava sul punto di sputarlo ma poi è riuscita a trattenersi. Si è pulita la bocca con un tovagliolo di carta e ha detto: "Appena arrivata ho dovuto registrarmi per ritirare la tessera per la mensa. La ragazza all'accoglienza mi ha chiesto quando e dove ero nata e poi ha cercato nell'elenco del computer, dopo un po' mi ha detto che la Slovacchia non la trovava e se mi andava bene la Slovenia".

"Cosa le hai risposto?"

"Che adoravo l'idea di barattare l'identità nazionale per un pasto caldo."

Hanno riso.

Mirka ha aggrottato la fronte: "E dopo?".

"Dopo ha trovato la Cecoslovacchia."

"No, ancora!"

"Sì, e in più aveva ragione lei: mi aveva chiesto quando e dove ero nata."

"In Cecoslovacchia!"

"Appunto."

Erano nate nel '78, tutte tranne Mirka, in una Cecoslovacchia comunista appena matura che dopo quindici anni sarebbe morta per vedere sorgere dalle proprie ceneri due stati nuovi, una fenice moderna, gemella ma non troppo, un matrimonio il cui apice sarebbe stato il divorzio, battezzato anche quello di velluto. Come la rivoluzione dell'89, la Rivoluzione Gentile la chiamavano gli slovacchi, di Velluto, ribattevano i cechi.

"E tu?" Mirka si è girata verso Katarína.

Lei si è chinata sul vassoio con i dolci, ha preso una tortina al cocco e se l'è messa in bocca: "Io cosa?".

"Come va a Praga?"

"*I'm an Englishman in New York*," ha intonato Katarína piano.

Viera ha ridacchiato e Daniela ha attaccato con il ritornello. Il bambino ha alzato i pugni, aveva gli occhi chiusi, sembrava sognasse. Mirka è balzata in piedi, ha fatto un altro shhh e ha portato l'ovetto nell'ingresso. È tornata imbacuccata a dare un abbraccio a ciascuna.

Dopo, Daniela voleva fumare e si sono trasferite sul balcone. I giubbotti aperti, le mani a tenere i colletti uniti. Katarína ha preso una sigaretta dal pacchetto di Daniela, se l'è fatta accendere e ha inspirato, un altro *déjà vu*.

Viera catturava i fiocchi che ora cadevano piano, non fumava, beveva poco. Nelle loro uscite del fine settimana era sempre l'unica sobria. Quella che le portava a casa, che faceva il resoconto la mattina dopo, quella senza il mal di testa né la bocca secca. Katarína sapeva il perché, le altre no. A Viera andava bene così.

Daniela ha detto che doveva essere molto figo vivere in centro a Verona.

"Non sono proprio in centro."

"Sei a due passi hai detto, noi qua ad abitare nelle periferie."

"Shhhh, la Slovacchia è il cuore dell'Europa!" Viera ha imitato Mirka.

"Sempre convinta lei, vero?" Katarína ha dato un colpetto sulla sigaretta e la cenere è caduta oltre la ringhiera.

Ha pensato che quello che Mirka le aveva chiesto veramente – "Come va a Praga?" – era se le sue premonizioni si fossero avverate. Non si fidava dei cechi, era un leitmotiv della sua famiglia e lei non era mai stata in grado di liberarsene, o non aveva voluto.

Viera ha iniziato a battere i denti e Daniela l'ha presa in giro dandole della rammollita italiana. Sono rientrate. Hanno svuotato la bottiglia di champagne, bevuto vino e birra e finito il liquore al caffè. Daniela si è addormentata sulla moquette, i piedi sotto l'albero, la testa sulla tovaglia.

Katarína ha voluto tornare a casa, Viera si è proposta di accompagnarla.

"A mia madre verrà un colpo quando la vedrà così nel suo salotto," ha detto Viera prima di spegnere le luci e chiudere la porta.

4.

La strada del ritorno era senza impronte, immacolata. La neve caduta durante la sera aveva ricoperto l'intero quartiere con un velo bianco. Dúbravka sembrava un paesaggio lunare con monoliti grigi, lampioni e macchine parcheggiate lungo i crateri. Questo non era cambiato. Il paese nella sua frenetica corsa verso la modernità partoriva sé stesso continuamente, ma poi di notte ritornava ad avere le sagome di sempre.

L'aria era rigida. Katarína ha messo le mani in tasca e ha incassato la testa fra le spalle. Appoggiava i piedi piano, uno dopo l'altro, ascoltava lo scrocchiare della neve sotto le suole degli stivali. Le girava tutto. Ogni tanto si fermava come per accertarsi di andare nella direzione giusta. Viera le saltellava al fianco.

"Non avresti dovuto accompagnarmi," l'ha ammonita Katarína.

L'altra non ha risposto, ha soffiato davanti a sé una nuvoletta lattiginosa che si è dispersa subito. Sono arrivate alla strada principale che tagliava il quartiere a metà. Era pulita, solo ai bordi cumuli irregolari di neve grigia. Al centro passavano i binari che ora in alcuni punti erano sradicati, al loro posto era rimasto solo un enorme buco. Per andare da un lato all'altro avevano costruito dei ponticelli di legno, sembrava di attraversare un canale che si era prosciugato.

"E quello?" Katarína ha indicato il buco.

"Ricostruiscono."

Certo, lo facevano da anni. I lavori erano ovunque. Di giorno si vedevano gironzolare flemmatici operai. Gli edifici nuovi rimpiazzavano quelli vecchi, i materiali moderni brillavano in mezzo ai tubi arrugginiti. Il volto di Bratislava nascondeva le vecchie ferite con una plastica maldestra e superficiale.

"Quindi non vanno i tram."

"Ci sono i bus sostitutivi, Mirka dice che passano ogni due minuti e sono velocissimi, è molto piacevole viaggiarci, parole sue."

"Ma perché? Voglio dire, il disagio è evidente, perché negarlo?"

Viera ha fatto una smorfia: "Così le ordina il suo orgoglietto nazionale".

"E suo marito," ha aggiunto Katarína.

"Ma no, Mirka è sempre stata così, in lui ha solo trovato una buona cassa di risonanza, infatti evito di incontrarli insieme."

Katarína ha annuito, poi ha controllato che non arrivasse nessuno: "Io attraverso qua, tu torna indietro".

Non nevicava più, c'era silenzio, la strada era illuminata e vuota.

"Perché Eugen non è venuto?"

Katarína si è bloccata, ha guardato Viera come se stesse decidendo cosa risponderle, poi ha detto: "Se n'è andato via di casa".

"Avete litigato?"

Gli occhi di Katarína si sono fatti rossi, la faccia si è contratta.

"No, no," le parole sono uscite a scatti come da un vinile graffiato, poi si è chinata di lato e ha vomitato.

Viera ha indietreggiato e ha preso una zolletta di neve

pulita, l'ha passata sul mento e sulle labbra dell'amica e poi le ha strofinato una macchia sul giubbotto.

"Forse ha un'altra." Katarína ha avuto un nuovo conato di vomito, il liquido rosa si è mischiato con il cumulo di neve sporca sul bordo della strada.

"Stronzo!" ha inveito Viera.

Katarína non riusciva a chiamarlo così. La famiglia di Eugen, quella sì, a volte lo era. Quando l'avevano invitata a pranzo la prima volta, le avevano chiesto notizie di Bratislava. Si era pentita d'aver raccontato la paura che aveva avuto per suo padre dopo la scissione della Cecoslovacchia. I primi giorni del '93 nelle farmacie erano mancati i medicinali, da Praga non arrivava più niente e le persone cardiopatiche come lui o i diabetici, senza medicine vitali, rischiavano la morte. Era calato il gelo intorno al tavolo, la sorella di Eugen era scoppiata a ridere. "Ne ho sentito parlare," aveva risposto il padre allungando le sillabe, "ma era un problema della vostra distribuzione, non è così?" Più tardi Eugen le aveva confessato che suo padre era l'amministratore delegato della casa farmaceutica Xeniva.

In fondo alla strada è apparsa una macchina, andava piano, il suono del motore rimbombava nell'aria svuotata dai fiocchi di neve, le ruote schizzavano acqua sporca. Katarína e Viera si sono allontanate dal bordo, l'hanno guardata passare.

"Perché pensi che abbia un'altra?"

Katarína ha scrollato le spalle: "Lunedì sera ho un gruppo di studenti lavoratori, finiamo tardi. Eugen lo sa, prepara lui la cena. Sono tornata a casa verso le dieci come sempre, ho aperto la porta d'ingresso e il manico della borsa si è impigliato nella maniglia. Ho perso l'equilibrio e ho sbattuto contro lo spigolo della porta. Sono entrata in cucina ridendo, mi tenevo il bernoccolo. Sul tavolo c'era un piatto pieno di *palacinky* con la marmellata, la polvere di cacao le ricopriva tutte. Le adoro così. All'inizio non ci ho fatto caso. L'ho chiamato e ho aspettato, volevo che mi vedesse nella luce gialla della cappa con quella specie di corno in testa, mi sentivo buffa. Volevo che mi baciasse dove avevo urtato e che mi dicesse che ero la solita sbadata.

L'ho chiamato quattro volte, la casa era vuota. Sulla tovaglia c'erano un piatto, un bicchiere e una forchetta. Mi aveva sempre aspettata per mangiare. Ho notato un biglietto che spuntava da sotto il piatto, l'ho preso. Diceva: 'Katarína, me ne vado per un po''. Vorrei fosse tutto più semplice, vorrei riuscire a parlarti, ci ho provato, ci proverò ancora ma adesso forse ho bisogno di capire un po' più di me'. Sotto, scritto piccolissimo: 'buon appetito' e un cuore".

Viera ha scosso la testa: "E poi?".

"Ho provato a chiamarlo ma non rispondeva. Ho preso le chiavi e il giubbotto e sono uscita. In ascensore mi sono vista nello specchio, avevo due occhi... erano enormi. Non ci credevo. Sono andata al Riegrovy Sady, il parco dove passavamo le serate estive sdraiati sull'erba con una birra a guardare le torri di Praga che sbucano da sotto la collina. Niente. Sono andata anche nel bar del parco, Eugen non ha mai bevuto per davvero, ma sono comunque entrata in tutti i locali lì intorno."

Katarína ha attraversato la strada senza guardare, si è fermata sul piccolo ponte di legno, era scivoloso. Il buco sotto era bianco come tutto il resto. Quando Viera l'ha raggiunta, ha continuato: "Gli ho telefonato all'una appena sono tornata, alle due, alle tre, alle cinque. E poi la mattina prima della lezione, e anche dopo, e il pomeriggio. Ho chiamato in ufficio, ma la segretaria mi ha detto che era in riunione. Mi ha scritto la sera: stava bene, non mi dovevo preoccupare, sperava che anche io stessi *abbastanza* bene. Si sarebbe fatto vivo presto, diceva, e mi pregava di avere pazienza. E fiducia in lui. L'ho richiamato immediatamente, ma non ha risposto".

Sulla guancia di Viera è apparso un piccolo gonfiore, con la lingua spingeva contro le pareti della bocca, lo faceva quando si concentrava.

"Una settimana fa sono stata in centro per i regali di Natale, mi sono costretta a farlo, e ho esagerato, non ho mai comprato così tante cose prima. Stavo risalendo la piazza di San Venceslao per prendere la metro al Muzeum quando li ho visti. Erano seduti dietro la vetrina, nel ristorante Como, uno di fronte all'altra. Lui ha alzato la mano, cercava un cameriere, lei beveva da un calice. Aveva delle unghie impeccabili. È stata la prima cosa che ho pensato, guarda che unghie impeccabili, lo smalto del colore dello smeraldo. Poi gli ha tirato il nodo della cravatta, piano, era un colpetto leggero ma in quel gesto mi è parso di vedere tutta l'intimità che condividevano. Mi sono bloccata di colpo, con tutti i sacchetti e i pacchi ingombranti intorno alle gambe. Lei si è girata e mi ha visto. Era come se fermandomi all'improvviso avessi provocato uno spostamento d'aria, di energia o di qualcosa che l'ha raggiunta e l'ha spinta a guardarmi. Sapeva, sapeva chi ero. Si è alzata dalla sedia, aveva un tailleur blu con trine bianche delicate attorno al décolleté. Mi sono sentita una barbona con i miei jeans sformati e il giubbotto pesante per il freddo. Poi si è voltato Eugen, non l'ho guardato negli occhi, ho fatto una specie di piroetta e mi sono messa a correre. Dopo un po' l'ho sentito che gridava il mio nome, la sua voce era stridula, non mi sono fermata, ho continuato a correre, sono quasi inciampata sul sacchetto con il telefono di peluche rosa che avevo comprato per Magdalénka. Ho imboccato le scale della metro ansimando, mi sembrava di sentirlo chiamarmi ancora ma poi, quando mi sono girata, nella folla non c'era."

Katarína ha alzato le spalle, tremava. Viera l'ha abbracciata. Sono rimaste al centro del cavalcavia improvvisato, sospese sopra il vuoto, intrecciate come una volta.

"Perché non vieni con me?" ha sussurrato dopo un po' Viera.

"Dove?" Katarína si è staccata, ha alzato di nuovo le spalle e ha ripreso a camminare.

Si sono fermate sotto il condominio, il gigante dormiente. Se non fosse stato per la luce blanda nella finestra del soggiorno, la casa di Katarína, appena dietro, a quell'ora sarebbe stata invisibile.

"L'appartamento è piccolo, ma in due ci stiamo. E non serve più nemmeno il visto," ha detto Viera davanti al portone.

Katarína ha guardato oltre la sua amica, le loro impronte nella neve soffice in alcuni punti si sovrapponevano. Ha annuito.

"Riparto il 30, tu pensaci", Viera l'ha stretta di nuovo, poi l'ha baciata sulla guancia, le ha sfiorato l'orecchio. "Pensaci," ha ripetuto, "va bene?"

Katarína è rimasta a guardarla allontanarsi nonostante il freddo: andava piano, non salterellava più.

Ha avvertito qualcosa sotto lo sterno, come un debole solletico, per un attimo si è sentita leggera e ha fatto un respiro profondo. Quando è entrata in casa, era quasi sobria.

5.

La stanza era in penombra. L'abat-jour sopra il pianoforte illuminava un angolo del soggiorno tingendo le pareti di arancione scuro. Lo strumento, da quando se n'era andata anche Katarína, se ne stava dimenticato lì, inutile e ingombrante quanto una cabina telefonica. Era stato un collega di suo padre a passarglielo per quattromila corone cecoslovacche, tornava a Orava per la pensione e solo il trasporto gli sarebbe costato di più. Si erano accordati subito, una delle rare volte in cui il padre di Katarína non aveva avuto dubbi. A fianco del pianoforte il pino addobbato, con le lucine colorate a forma di pupazzi di neve e gli aghi che spuntavano dai rami in ciuffi irregolari, pareva un contadino agghindato a festa. La madre, seduta in poltrona, sfogliava una guida tv, il retro della copertina era un mosaico di donne nude con i numeri di telefono che coprivano le parti intime.

Katarína ha attraversato il soggiorno, si è fermata davanti al pino.

"Sei tornata presto," sua madre ha chiuso la rivista e l'ha buttata per terra.

Si sentiva il leggero ronzio della lampadina dell'abat-jour, Katarína ha pensato che forse sarebbe scoppiata di lì a poco, ha infilato la mano sotto l'elastico che raccoglieva i capelli e si è grattata la nuca.

"Sono stanca."
"C'era Mirka?"
"Viera mi ha invitato da lei, in Italia."
La madre ha aggrottato la fronte: "Tu sei proprio senza speranza".
È balzata su dalla poltrona ed è sparita in cucina. Lei l'ha seguita. I piatti di porcellana formavano una piccola torre sul tavolo.
La madre ha preso uno strofinaccio e due forchettine da dessert dal lavabo. Le ha sfregate con foga.
"Cosa ci vai a fare?" ha aperto il cassetto delle posate e ha buttato dentro le forchettine tintinnanti.
"Non so se ci vado, non ho ancora deciso."
"Non sai, non sai."
"Mamma non ti scaldare, non è niente."
La madre ha sbattuto il cassetto con un movimento dell'anca.
In corridoio si sono sentiti dei passi, sulla porta è apparso Jojo, i capelli sciolti gli arrivavano alle spalle, il viso stropicciato e una ruga profonda al centro della fronte.
"Ma che fate?" ha chiesto. "Olga ci ha messo un'ora a far addormentare Magdalénka, ti voleva aspettare."
"Non sapevo che dormivate qui", Katarína ha ripreso nervosamente a grattarsi.
"Da quando ti interessa quello che succede in casa?" ha ringhiato sua madre, poi ha preso i piatti di nonna Gitka ed è uscita dalla cucina. L'hanno sentita appoggiarli sul parquet, aprire l'armadietto, metterli dentro e chiudere l'anta con un colpo secco. Jojo ha alzato gli occhi al soffitto.
Quando è tornata in cucina, si è messa le mani sui fianchi e ha fatto un cenno verso la figlia: "Ora vuole andare in Italia, dalla sua amica Viera. Come se niente fosse".
"Cosa ci vai a fare?" ha domandato Jojo.
"Gliel'ho chiesto pure io!"

"A festeggiare il Capodanno, presumo," Katarína ha continuato a grattarsi e all'improvviso ha sentito la pelle dietro il collo molle e umida.

"Metti giù quella mano, porca miseria!" ha strillato la madre.

"Zitta!" ha detto Jojo accostando la porta in fretta.

Katarína ha abbassato il braccio. L'indice e il medio erano sporchi di sangue.

"Ti rovini sempre", a sua madre tremava la palpebra, ha preso dal lavabo altre forchettine.

"Mettile giù," l'ha fermata Jojo, "lo farai domani mattina. E tu, è meglio se ti dai una sciacquata. Ora, se Katka vuole andare in Italia, non vedo il problema."

Katarína ha aperto il rubinetto e messo le dita sotto la colonnina invisibile dell'acqua: "È lei che vede i problemi dappertutto," ha indicato la madre.

"Non potevi sposarti come ha fatto Mirka? Con uno normale, senza puzza sotto il naso?"

Katarína si è girata, le mani appoggiate dietro, sul lavandino. La palpebra di sua madre tremava ancora, le ha ricordato la lampadina dell'abat-jour. Ha scandito piano: "Mamma, cosa cazzo vuoi da me?".

Sua madre ha sbarrato gli occhi, sembrava spaesata, una bambina persa, ha pensato Katarína. Poi, forse per riprendersi, per ristabilire l'ordine o forse solo per istinto, le ha dato uno schiaffo.

Sono rimasti tutti e tre in silenzio. La prima che si è mossa è stata la madre: ha appeso lo strofinaccio allo schienale della sedia, lo ha lisciato con le mani come se fosse una tenda, ha preso una briciola di pane dal tavolo, l'ha buttata nel lavandino ed è andata a dormire.

Katarína, sotto il piumone, è rimasta in ascolto. Una volta la casa aveva quasi preso fuoco. Era il 1988 e avevano comprato l'abete per Natale. "Come quelli dell'ovest," ripeteva sua madre mentre appendeva decorazioni scintillanti sui rami nobili dell'albero. La sera della Vigilia suo padre si era dimenticato di spegnere le luci e si era creato un corto circuito. Le grida di sua madre l'avevano svegliata: "Sei un idiota, un incapace, un buono a nulla". Jojo nel letto non si era mosso, quando gridavano si immobilizzava. Katarína aveva infilato la testa sotto il cuscino per proteggersi dal fumo, ogni tanto la alzava per annusare l'aria, sembrava pulita. Quando la casa si era fatta di nuovo silenziosa, aveva contato fino a cinquanta e poi era scivolata giù dal letto.

Nel salone si sentiva un leggero odore di bruciato, l'abete, con i rami davanti spogli di aghi, pendeva da un lato, sembrava lo scheletro di un ventaglio.

Sua madre non aveva mai imparato a incassare i colpi, si dimenava ogni volta che il destino le presentava la sua versione dei fatti. I suoi schiaffi non facevano male, Jojo li temeva, ma il vero pericolo erano le parole. Dora non ci badava.

Erano sette anni che Katarína non vedeva Dora. Era partita il 2 ottobre 1998 e da quel momento si erano scambiate ventidue mail e quattordici messaggi. Aveva chiamato Katarína nove volte, in quelle telefonate aveva una voce squillante, limpida, nonostante tutto.

Avevano litigato, Dora e la madre. Se non fosse stato per quello sarebbe partita più tardi, forse, ma l'avrebbe fatto lo stesso. Questo però Katarína l'aveva realizzato solo dopo.

Quella sera Katarína aveva trovato i suoi in cucina, stavano mangiando *bundášiky*, panini all'uovo. Jojo non c'era, spesso non tornava per cena, come anche Dora. Era l'unica a sentire il dovere di mangiare insieme ai genitori. A giugno aveva finito il liceo, le lezioni all'università sarebbero incominciate dopo poco, lei, sospesa in quello spazio, passava le giornate a guardare Mtv a casa di Viera. Ma per cena tornava sempre. Sul tavolo c'era una bottiglia di vino rosso aperta. Katarína aveva preso un bicchiere pulito e l'aveva riempito con l'acqua del rubinetto. Suo padre le aveva fatto posto sulla panca vicino a lui. Katarína aveva preso il ketchup e l'aveva spalmato sul *bundášik*.

"Dov'è tua sorella?" aveva chiesto la madre.

Dora lavorava come cameriera nel pub Prašná Bašta sotto la Porta di San Michele, al centro di Bratislava. Si era fatta espellere dalla facoltà di Lettere e poi da quella di Ingegneria. Il Prašná Bašta le piaceva, ci andavano gli studenti di Všmu, i futuri artisti. Se tornava, tornava tardi. La domanda di sua madre non aveva senso.

In quel momento si erano sentite le chiavi nella porta d'ingresso. Katarína aveva desiderato che si trattasse di Jojo. Dora era entrata in cucina ancora con le scarpe, si era piazzata davanti al tavolo e li aveva guardati. Poi aveva detto: "Mi sono licenziata".

Sembrava molto soddisfatta, come se avesse finalmente concluso un compito importante.

La madre aveva ondeggiato, si era spostata in avanti e poi indietro, come un alberello alla prima raffica di vento.

"Perché?" le aveva domandato.

Dora aveva sorriso, aveva allungato il braccio e aveva addentato un *bundášik* un po' bruciacchiato. La domanda era rimasta sospesa sopra di loro, Katarína aveva smesso di masticare. Le sbirciava, Dora stritolava il panino in piedi come il gigante le pietre nella *Storia infinita*, sua madre aveva appoggiato le mani sul tavolo. A Katarína era sembrato un gesto di resa, per un attimo aveva sperato in una serata di pace.

"Mi sono stufata," aveva risposto infine Dora.

Le mani di sua madre avevano afferrato la tovaglia e i piatti erano scivolati leggermente verso di lei. Quello era il momento di alzarsi dalla tavola, ringraziare per la cena e chiudersi in camera. Katarína l'aveva sperimentato tante volte, se riusciva a imboccare quella unica via di fuga, poteva chiudersi nella stanza con *Murder Ballads* di Nick Cave and The Bad Seeds nelle cuffie. Non l'aveva fatto. Dora aveva una scintilla negli occhi, una luce nuova che la faceva sembrare ancora più intrepida del solito.

La madre, ovviamente, aveva attaccato: non tutto il mondo girava intorno a Dora, non poteva andare avanti così, smettere di studiare e di lavorare quando le pareva, non poteva comportarsi come una nullità per sempre. Non lo era affatto e la madre lo sapeva, per questo cercava di riguadagnare terreno insultandola. Dora era la più intelligente di tutti loro, a volte si divertiva nel ricordarglielo. Per lei, combattere il mondo, sua madre inclusa, era una questione di sopravvivenza.

Dora aveva preso un altro *bundášik*, ora mangiava solo lei, anche il padre aveva smesso.

La madre aveva deglutito. Katarína aveva pensato che forse anche lei aveva visto la scintilla negli occhi di Dora.

Ma poi sua sorella aveva preso la bottiglia e l'aveva alzata per vedere fino a dove arrivava il vino.

"Sai mamma, sei un ottimo modello. Mai vorrei finire come te!"

Lo sguardo della madre si era fatto duro come poco prima in cucina.

Katarína si è toccata la guancia, forse non era nemmeno rossa. Lo schiaffo di sua madre faceva più male dentro che fuori. Quella sera che Dora era tornata a dire che si era licenziata dal Prašná Bašta, la madre le aveva gridato che era guasta, una figlia guasta, era quella la parola che aveva respinto Dora, la famosa ultima goccia. Katarína è scesa dal letto, ha sfilato il portatile dalla borsa e lo ha acceso. Il computer le ha illuminato la faccia, si è appoggiata con la schiena contro il letto, con una mano ha tirato giù il piumone e si è coperta. Ha iniziato a digitare appena la schermata del nuovo messaggio è apparsa. Quasi sempre rifletteva su ciò che scriveva a Dora, si prendeva il tempo, sceglieva le parole, ora scriveva e basta. "Sono nella nostra vecchia stanza, solo io, Eugen non è venuto quest'anno. Nostra madre crede che la crisi del mio matrimonio sia colpa mia e abbiamo appena litigato. Tu come stai? Mi manchi più che mai."

Katarína ha spostato il computer, d'un tratto le pesava, una zavorra sottile. Ha cancellato l'ultima frase, lettera per lettera, nel silenzio della stanza pareva un ritmo o un messaggio in codice morse.

"Ti saluta Viera. Chiede sempre di te, come quando eravamo al liceo e si informava su cosa facevi, cosa studiavi, dove lavoravi. Ti vedevamo grande, al di sopra di noi. Credo che per Viera sei rimasta una specie di esempio, lei è così sicura ora o sono io che la vedo così.

È strano essere in questa stanza e non sentire la tua voce, non mi sono ancora abituata. Buon Natale."

Ha schiacciato l'invio e ha chiuso il computer, lo ha spostato per terra, ha stirato le gambe di nuovo libere. Si è resa conto che non si era firmata, quel dettaglio l'ha disturbata, era come se non avesse chiuso la porta, lei che non lasciava scampo agli spifferi. Avvolta nel piumone si è sdraiata sul letto, la testa le sembrava più leggera, vuota, le è stato stranamente facile scivolare nel sonno.

6.

Katarína si è seduta sul letto stropicciandosi la faccia. Pacchetti colorati, a strisce, a pois, con decorazioni natalizie erano davanti ai suoi occhi. Un fischio fastidioso nelle orecchie le ha impedito di comprendere cosa stava succedendo. Si è toccata le tempie e il chiasso è un po' diminuito. Quando ha riaperto gli occhi, ha allungato le braccia per aiutare Magdalénka a salire vicino a lei. Era ancora in pigiama ed era calda. Sul naso aveva una macchia di cacao. Il 25 mattina la madre di Katarína preparava *bábovka*, il ciambellone, e il latte con cacao e panna.

Magdalénka le ha portato i regali che Katarína non aveva aperto la sera prima. Katarína si è domandata quanti giri aveva fatto sua nipote per mettere in fila sul piumone tutti quei pacchetti. Magdalénka, una volta sul letto, ne ha preso uno, l'ha scartato fino a rompere la carta argentata e ha emesso un gridolino di gioia.

Katarína ha aiutato Magdalénka a staccare un pezzo di scotch. Hanno trovato due paia di collant a vita bassa, una maglietta nera con la scritta glitterata BE/AS/YOU/ARE e un libro per imparare a ricamare. Lei non ne era capace. Sua madre la vedeva probabilmente ancora come una teenager da indirizzare.

Poi Magdalénka ha optato per un pacchetto rosso, dentro c'era un elefantino con la proboscide alzata e un biglietto di ringraziamento da parte del gruppo dei principianti. Se li era portati a Bratislava, i doni dei suoi studenti. "Li metterò sotto l'albero," aveva detto. Non voleva aprirli davanti a loro, non sarebbe stata capace di mostrarsi grata, o sorpresa, o felice. In un altro pacco una borsa con la cintura abbinata e una confezione di tè Teekanne. Olga era un'esperta in tisane e a Jojo piaceva regalare le cose in coppia, cappello con sciarpa, scarpe con calze. Un altro loro regalo conteneva una tazza rossa con delle strisce blu e una tazza blu con delle strisce rosse. Sulla carta c'erano le iniziali K+E. Katarína è rimasta colpita, ha spostato le due tazze vicino al muro, non si aspettava di trovare un regalo per Eugen. Un libro fotografico su Praga aveva sulla prima pagina le firme di tutti i partecipanti del gruppo degli avanzati. Katarína ha curvato le spalle, le piaceva quella classe, ma l'aveva associata alla sera in cui Eugen se n'era andato. Quando aveva lezione con loro, si ricordava le parole del biglietto che le aveva lasciato, a volte per difendersi le traduceva in italiano.

Quando Magdalénka è scesa dal letto, ha notato un pacchetto lungo e sottile, lo ha dato a Katarína. L'aveva portato il postino due giorni prima, le aveva detto più tardi sua madre. Dentro c'era una scatola fatta a mano con un minuscolo cuscino di lino dove era appoggiata una foglia. Sembrava una foglia autunnale, con dei buchini intorno alle nervature e il margine dentato. Era di rame, una catenina partiva dal picciolo. C'era un biglietto, diceva: "Per te. Nessuno è perfetto e questo, a mio parere, è bello. E.".

Il Natale, due anni prima, lo avevano passato a casa dei genitori di Eugen. Katarína avrebbe preferito festeggiare da sola con lui, ma Eugen aveva insistito: "Glielo dobbiamo, ci siamo sposati come volevamo noi, ora il Natale lo festeggiamo come vogliono loro".

Quel "loro" era la famiglia di Eugen. Per l'evento Eugen l'aveva portata in centro a comprare un vestito.

"Perché dovrei comprare un vestito nuovo?"

Eugen le aveva dato un bacio. Forse, semplicemente, la voleva elegante per la Vigilia, la più elegante. Il negozio era nella Città Vecchia, si chiamava Tvůj styl e sembrava la hall di un albergo a cinque stelle. Una commessa con uno chignon elaborato si era presa cura di Katarína. Avevano trovato un tubino nero smanicato, con una giacca corta color vinaccia. La commessa le aveva consigliato delle scarpe con tacco dodici, in tono con la giacca. Quando era uscita dal camerino, Eugen aveva fischiato. La guardava dallo specchio, e anche la commessa sembrava soddisfatta.

Rientrando nel camerino Katarína aveva letto i prezzi sulle etichette. Le era sembrata una pazzia, ma Eugen era raggiante.

L'appartamento dei genitori di Eugen era sulla Žatecká, poco distante dal ponte Carlo. Dalle finestre del salone si vedeva un pezzo del Castello di Praga. La sera della Vigilia, all'ingresso un cameriere offriva champagne agli ospiti, da dentro proveniva della musica. Katarína si era aggrappata al braccio di Eugen. Lui era in smoking, lo stesso del matrimonio. Aveva preso un flûte e aveva sorseggiato lo champagne prima di passarglielo: "Andiamo a salutare mio padre, poi saremo liberi".

L'avevano trovato nel salone, i mobili erano scomparsi, la sala era gremita di persone in abito da sera, nell'angolo vicino alla finestra un pianista, un contrabbassista e un batterista suonavano qualche standard jazz. Robert, il padre di Eugen, stava parlando con un gruppo di uomini vicino a un enorme abete decorato d'oro.

"Eugen!" aveva esclamato quando li aveva visti, "*come to us*."

Eugen aveva preso Katarína per mano e aveva scambiato due frasi in inglese con un uomo grosso e brizzolato.

Suo padre aveva guardato Katarína: "*Oh, you look amazing!*".

Katarína aveva sorriso, era a disagio.

Eugen si era intromesso: "Robert, non vi vogliamo disturbare. La mamma dov'è?".

Il padre di Eugen aveva fatto un gesto vago verso la cucina.

"E così lo chiami Robert," aveva osservato Katarína quando si erano allontanati.

"In queste occasioni preferisce così."

"Chi è l'americano?"

"Chi? Ben? È il presidente della Xeniva International."

In cucina, oltre ad Alena, la madre di Eugen, c'era anche sua sorella Lenka con il ragazzo. Alena era venuta a salutarli, aveva sfiorato le guance di Katarína con due baci di circostanza, le aveva fatto i complimenti per il vestito e poi si era scusata perché doveva occuparsi dei camerieri. In effetti in quel momento ce n'erano alcuni che uscivano con vassoi pieni di tortine salate, bastoncini al formaggio, biscotti linzer, *vanilkové rohlíčky* e *medvědí tlapky*. Una donna vestita con un tailleur blu li indirizzava nelle varie stanze.

"A mia madre piace darsi delle arie, in realtà non deve fare niente, ma si annoia in mezzo a tutti questi manager," Eugen aveva sfiorato la giacca di Katarína.

"Manager come te?" gli aveva fatto notare lei.

Lui aveva sorriso: "Noi siamo diversi". L'aveva inclusa in quel noi. Di colpo Katarína si era sentita ridicola nel suo nuovo tubino nero. Le dolevano i piedi, avrebbe voluto togliersi le scarpe.

Lenka si era avvicinata, sembrava leggermente brilla oppure si annoiava tanto quanto la madre. Anche lei era del '78, come Katarína, ma stava ancora studiando. Era destinata a diventare un medico, o almeno quelle erano le ambizioni del padre. Katarína aveva notato il ragazzo: non era lo stesso con cui era venuta al loro matrimonio. Lenka portava un lungo abito con una cintura larga in vita, sopra il marchio di Louis Vuitton era ben visibile. Stava guardando Katarína, aveva la stessa espressione del padre quando poco prima le aveva detto: "*Oh, you look amazing!*", poi le aveva sorriso. Katarína aveva capito che se si fosse vestita sempre così, forse con Lenka sarebbero diventate amiche.

"Vado in bagno," aveva sussurrato a Eugen.

Seduta sul water, si era tolta le scarpe e le era parso di sentire il flusso del sangue riversarsi finalmente nelle dita. Aveva provato a muoverle, era stato piacevole, e doloroso.

Quando era uscita, aveva cercato Eugen. In cucina c'erano solo Alena e la donna in tailleur blu, i vassoi sul tavolo erano colmi di frutta, Alena indicava qualcosa in mezzo e scuoteva la testa. La madre di Eugen era minuta, una volta aveva spiegato a Katarína che soffriva di tantissime intolleranze alimentari, non poteva mangiare quasi nulla.

Aveva trovato Eugen nella sua vecchia stanza, era appoggiato con il gomito sul pianoforte, stava parlando con una donna. Lei era sui quaranta, aveva un viso appuntito e ammiccava con la testa. Nella stanza c'era anche un gruppo di adolescenti che a intervalli irregolari scoppiava a ridere, un vulcano sonoro imprevedibile. Katarína si era fermata sulla soglia, uno dei ragazzini l'aveva notata e aveva fatto zittire il resto del gruppo. Per un attimo era calato il silenzio e l'avevano fissata tutti, poi Eugen si era girato e con lui anche la donna con cui stava parlando. A quel punto Eugen si era congedato e l'aveva raggiunta.

"Chi è?" aveva domandato Katarína già nel corridoio.

"Stai bene?" Eugen le aveva preso la mano, era rigida.

Lei aveva alzato il mento.

"È mia cugina, Libuše."

"Non mi hai presentato," Katarína aveva liberato la mano dalla sua stretta per grattarsi la nuca.

Eugen aveva cercato di riprenderla, ma lei si era divincolata di nuovo.

"Comunque hai fatto bene, non m'interessa," aveva detto e si era mossa verso il salone. Eugen l'aveva seguita in silenzio.

"Fra mezz'ora all'ingresso," le aveva sussurrato all'orecchio lasciandola lì, al centro di una festa alla quale non apparteneva.

Più tardi a casa avevano litigato. Poi avevano fatto l'amore. Solo dopo si erano scambiati i doni di Natale, Eugen le aveva regalato uno Swatch con dei cerchi viola e arancioni. Lei l'edizione in ceco della *Bella estate* di Pavese. Si era addormentata con il cinturino plastificato al polso, a Eugen piacevano i regali simbolici, forse ci credeva per davvero.

Katarína, seduta sul letto, con le gambe sotto la coperta, teneva in una mano il biglietto con la dedica, nell'altra la foglia. Tremavano entrambe. La foglia sembrava fragile. Le parole scritte da Eugen le sfilavano davanti agli occhi: "Nessuno è perfetto". Ha capovolto la frase per coglierne di più il senso: tutti sono imperfetti. Cosa voleva dire Eugen? Che era stato lui ad aver mancato la perfezione, o forse che era lei che portava dentro tutti quei buchi?

7.

Il bar era vuoto, dietro il bancone c'era una ragazza bionda che non avevano mai visto. Hanno ordinato due caffè viennesi con la panna. Viera era pallida, ha raccontato che dopo aver accompagnato Katarína era tornata a casa e si era sdraiata vicino a Daniela sotto l'albero. Sua madre era rimasta sorpresa quando le aveva trovate così la mattina dopo. Verso le sette era suonata la sveglia di Daniela, doveva tornare da sua sorella, insieme avrebbero preso il treno per Čadca.

Poi sono rimaste in silenzio.

Era strano ritrovarsi lì. Katarína aveva pensato che non sarebbe mai più successo, dopo che Viera era partita per Verona evitava quel locale. Avevano iniziato a frequentare il caffè Umelka nell'autunno del secondo anno di università. Tra una lezione e l'altra, si rifugiavano lì che era un punto d'incontro per studenti, professori e impiegati dell'università. Tra il fumo e il brusio altalenante di voci, gli bastava uno sguardo per capirsi. Forse anche per quello, la mattina dopo aver scartato il regalo di Eugen, aveva scritto un messaggio a Viera: "Caffè Umelka alle 10?".

"Come va il tuo corso?" ha interrotto il silenzio Katarína.

"L'ho finito, ho consegnato la tesi a settembre."

"Alla fine su cosa l'hai scritta?"

"Sulla Didattica della lingua italiana all'estero."

Katarína ha annuito, non riusciva a domandare altro. Viera cercava di tagliare corto, era il suo modo di negare che tre anni prima aveva taciuto alle sue compagne dell'università la possibilità di partecipare al bando per quella borsa di studio. Ha fatto una smorfia che Katarína non ha saputo decifrare. Come se questo tempo che avevano passato ciascuna per conto proprio avesse reso le parole e i gesti con cui prima comunicavano non più sufficienti. Viera ha mosso la lingua dentro la bocca, poi ha aggiunto: "Ho conosciuto una ragazza, siamo state insieme, è durata poco perché lei è ripartita per Trento, le mancava troppo la sua città. Anche in Italia conta molto il posto da cui vieni".

Katarína sorseggiava il caffè cercando di immaginare questa ragazza di Trento con Viera. C'era un che di stonato in quell'immagine, ma non riusciva a capire cosa fosse. E allora le ha chiesto: "E i professori? Come ti trattavano?".

"Ero una delle tante, sai, nessuno ti vede veramente, questa è forse la cosa più strana del vivere all'estero, una parte di te è invisibile."

"Ma è così sempre," ha obiettato Katarína, "ti ricordi quando ne discutevamo anche con la D'Angelo?"

Viera si è ritirata sulla poltrona e Katarína si è pentita di aver pronunciato quel nome. Le loro conversazioni mattutine con la professoressa di Parma spesso giravano intorno a quei temi.

La D'Angelo, quando insegnava, aveva una voce forte che risuonava nell'aula e modi di fare energici, un tornado. Era una lettrice molto attenta, incoraggiava gli studenti a esprimere i concetti più complessi in italiano. La maggior parte di loro tendeva a rispondere con frasi corte e semplici, per non rischiare di sbagliare. Ma la professoressa ripeteva: "Se non sbagli, non impari". Era stata lei a organizzare delle lezioni di conversazione, una sua iniziativa fuori dalle aule universitarie. “La lingua deve fluire, deve potersi annidare, entrare dove non avreste mai pensato.”

“L’hai rivista?” ha chiesto Katarína.

“Sì, un paio di volte. È venuta a trovarmi. In Italia sembra ancora più giovane, non te lo so spiegare, è così...” Viera ha scosso la testa, la parola giusta le sfuggiva, “così elettrica. È come se essere tornata da dove proviene le desse una carica in più. È quasi insopportabile.”

Si incontravano i venerdì mattina, la professoressa apriva la porta d’ingresso del suo appartamento con un gesto ampio, teatrale. Abitava su via Bezručova, vicino alla Chiesa Blu, dieci minuti a piedi dalla facoltà di Romanistica. La prima volta erano rimaste ad aspettare in strada, davanti al portone del palazzo storico, sul citofono c’era scritto Barbara D’Angelo. Poi era arrivata una ragazza alta con i capelli neri – più tardi si sarebbe presentata come Daniela – e senza badare a loro aveva appoggiato il dito su quella scritta. Il portone si era aperto immediatamente. Su, insieme alla professoressa, c’era già Mirka. Si conoscevano tutte di vista, avevano frequentato Introduzione alla letteratura e cultura italiana nel primo semestre, ma a parte Viera e Katarína non si erano mai parlate tra loro.

“Quando si sente imbarazzata, alza la voce,” ha detto Viera piano, poi si è schiarita la gola, “è venuta a Verona, abbiamo preso una camera d’albergo vicino al mio residence, dopo mi ha portata in giro per la città. Sembrava una guida turistica, mi ha mostrato il balcone di Giulietta che straripava di persone, e poi in una viuzza laterale e deserta la casa di Romeo. È privata e chiusa al pubblico, ma siamo riuscite a entrare perché lei conosce il proprietario. Parlava di continuo, non riuscivo a starle dietro, come se in fondo mi evitasse.”

“Perché dici così?”

Viera ha alzato le mani, si è strofinata i capelli con forza.

"Vi porto qualcos'altro?" la cameriera bionda è arrivata al loro tavolo senza che se ne accorgessero, con un gesto veloce ha raccolto le tazze vuote e i cucchiaini.

Viera le ha domandato una spremuta d'arancia. La ragazza si è bloccata un attimo, poi ha risposto secca: "Ok".

Quando si è allontanata, Katarína ha sussurrato in italiano, come se fosse ancora la loro lingua segreta: "Si è offesa".

"Si è offesa perché ho ordinato una spremuta?"

"No, le hai dato del tu."

"Oh povera me!" ha esclamato Viera e hanno entrambe tentato di soffocare una risata.

Viera si è chinata in avanti e si è appoggiata sul bracciolo: "In Italia si offendono se non dai del tu".

Si è passata di nuovo la mano sui capelli cortissimi, Katarína avrebbe voluto chiederle dove ha preso l'ispirazione per quel taglio, o il coraggio.

"Non sopporto questo cielo grigio," ha detto d'un tratto Viera, "vorrei non dover tornare più."

"Se non torni, non ci vediamo."

"E invece no, sono stufa di questo binomio. Tu puoi venire, mia madre può venire, vivo a ottocento chilometri da qui, non dall'altra parte del mondo come tua sorella."

Katarína ha curvato le spalle e incrociato le braccia.

"Scusa," Viera si è allungata sopra il tavolo per accarezzarle il ginocchio, "scusa, ti vorrei più vicina anche io, forse questa volta potresti veramente venire con me."

Katarína ha messo la mano in tasca, ha toccato il ciondolo di Eugen che avrebbe voluto mostrare all'amica, lo rigirava fra le dita.

8.

Al quarto piano Viera aveva bussato. Il palazzo non aveva l'ascensore e i pianerottoli erano delle mezzelune con due porte ai lati. Non aveva sentito passi all'interno, né altri rumori. Si vestiva sempre di nero ma quel giorno si era messa una maglietta a righe bianche e azzurre, le ricordava Madonna in un video che l'aveva ossessionata al liceo. Davanti alla porta con una mano aveva spinto la maglietta giù nei jeans così da far spuntare di più il seno. Dopo un po' la serratura era scattata con un clic sordo e la porta si era aperta piano. La professoressa le aveva fatto segno di entrare. Sorrideva e Viera l'aveva seguita in salotto. Si era seduta sul divano verde, nello stesso punto che occupava nelle loro conversazioni il venerdì mattina, insieme alle altre. Ora il divano le sembrava più spazioso e lei aveva appoggiato il ginocchio contro il bracciolo.

Viera aveva riportato un libro di Natalia Ginzburg, *Lessico famigliare*, che la professoressa le aveva prestato due settimane prima. Quel venerdì mattina ne avevano discusso, la professoressa aveva letto un passaggio che parlava del potere di una parola o di una frase di rievocare il passato, di riallacciare in una frazione di secondo gli antichi rapporti famigliari. Mirka aveva obiettato che il linguaggio si ricreava continuamente e non si poteva e non si doveva tornare indietro.

La D'Angelo l'aveva guardata incuriosita: "Ci sono espressioni che portano in sé l'atmosfera del periodo storico, sono testimonianze degli schemi mentali che sì, proprio come dici tu, Mirka, dopo un po' scompariranno. Non credi che sia un bene conservarli, che possa essere interessante e arricchente conoscerli?". Mirka aveva sbuffato. "Vediamo," aveva continuato la professoressa, "a chi di voi piace l'Hotel Kyjev?" Avevano riso tutte. L'Hotel Kyjev era un casermone di venti piani vicino a Kamenné námestie, a due passi dal centro, costruito nel 1973 seguendo i canoni dell'architettura sovietica. Era alto, imponente e squadrato, con file di finestre che si alternavano a intervalli regolari. "Per voi rappresenta l'epoca comunista e quindi non vi piace, per me è affascinante. La Ginzburg si era costruita un Hotel Kyjev personale, solo entrando nelle stanze, respirandone l'aria, osservando i tappeti, i mobili, conoscendo gli ospiti lo si può capire e giudicare, se uno proprio *deve* farlo."

Nel pomeriggio di quello stesso venerdì la professoressa aveva parlato della Ginzburg anche alla lezione all'università, più tardi nel corridoio aveva fermato Viera e le aveva dato il libro. Così lei, forse per ringraziarla, l'aveva invitata a bere una birra. Erano rimaste a chiacchierare fino a tardi.

La D'Angelo le aveva confessato che a Parma non avrebbe mai accettato di uscire con una studentessa, che in Italia lei era una persona diversa, molto diversa. Nel locale faceva caldo e la professoressa si era tolta la camicetta, era rimasta con una canottiera nera da cui sbucava un reggiseno color carne.

Dopo due settimane Viera aveva suonato al citofono: "Sono passata a riportarle il libro". Il portone si era aperto e lei era scivolata dentro.

E ora era lì, sul divano verde, a passarsi le mani sulle gambe come indecisa se alzarsi e andarsene. Poi una proposta di rimanere a cena, sul tavolo c'erano porri al forno, pomodori con l'origano, peperoni ripieni di tonno e due mozzarelle.

Tutto era squisito. E leggero. Viera non aveva mai cenato così. Le pietanze che preparava sua madre erano piuttosto un miscuglio di tanti ingredienti difficili da distinguere uno dall'altro.

"Credo di essermi innamorata," aveva esclamato appoggiando la forchetta sul piatto, "della cucina italiana."

"Eh, aspetta, io non sono brava, devi venire in Italia, poi mi dirai."

Viera aveva sorriso, gli occhi socchiusi come intenti a inquadrare qualcosa che vedevano solo loro.

La D'Angelo aveva sciacquato i piatti e li aveva sistemati velocemente nella lavastoviglie. Viera era rimasta a guardarla incantata.

"Quando ho traslocato, insieme alla lavatrice mi sono portata anche lei, i traslocatori non sapevano dove metterla, forse non ne avevano mai vista una," la D'Angelo si era messa a ridere, "mi ha aiutato il proprietario di casa a sistemarla, ha chiamato un idraulico e insieme hanno dovuto togliere un armadietto in cucina."

Dalla sua voce, oltre al divertimento, traspariva un senso di fierezza, come se il fatto di riuscire a modellare il mondo che la circondava fosse un merito. Per Viera lo era.

Il comunismo aveva reso la ricchezza qualcosa da tenere nascosto, una colpa, un peccato. Il senso di fiducia verso la vita e l'essere degni di viverla pienamente erano solo un miraggio. A quello pensava Viera mentre sorseggiava il vino dopo cena, seduta per terra con la schiena contro il divano, al suo miraggio personale, alla sua voglia di prendersi ciò che la vita le offriva, senza tirarsi indietro.

La D'Angelo si era seduta al suo fianco e aveva steso le gambe, si era portata i capelli davanti alla guancia fino al naso, come per annusarli. Anche a Viera era venuta voglia di sentirne il profumo ma era rimasta a fissare le gambe della professoressa. Una volta, con Katarína, si erano chiuse in bagno durante una festa, si erano spogliate davanti allo specchio, ciascuna con il proprio seno nelle mani. Viera aveva imitato un giocoliere maldestro che non riusciva a far volare le sue tette troppo piccole. Katarína rideva. Con le sue ci sarebbe riuscita, sosteneva Viera quando le avevano cacciate fuori dal bagno.

"Mi sento un po' a disagio," aveva confessato Viera alla professoressa.

"Perché? Non c'è niente di male in questo."

Viera aveva sorseggiato il Valpolicella e aveva appoggiato il calice sul parquet. Lo aveva spostato un po' più avanti e aveva guardato la D'Angelo. Lei le aveva sfiorato la guancia, un tocco leggero, come si fa con i bambini. Si era avvicinata e le aveva sussurrato all'orecchio: "Non ci sono colpe da espiare qui".

I suoi capelli le toccavano lo zigomo e il profumo che emanavano era dolce. Viera aveva chiuso gli occhi, aveva trattenuto il respiro e chinato la testa, poi li aveva riaperti. Era scivolata giù con la schiena fino a sdraiarsi completamente per terra. Un fianco della D'Angelo le toccava la tempia. Così da giù sembrava una sfinge, aveva il seno rotondo come quello di Katarína. L'aveva tirata a sé e le aveva cinto la vita, erano rimaste a guardarsi senza parlare, si erano baciate all'improvviso.

Erano rotolate sul fianco, Viera aveva sentito i seni che si incastravano fra loro, un puzzle aveva pensato. Le lingue si toccavano piano, come delle carezze dentro. Sentiva il sangue pulsarle nelle orecchie, non aveva smesso di guardare la faccia della donna con cui si stava baciando. La professoressa invece aveva gli occhi chiusi, sembrava come se si stesse ricordando qualcosa di molto lontano, aveva appoggiato la testa per terra. Viera allora si era staccata e le aveva baciato il collo, piano. La pelle era morbida, più spessa della sua, era anche più profumata e scura. Le aveva sbottonato la camicetta, sotto un reggiseno di pizzo lilla si distinguevano i capezzoli contro il raso.

Aveva visto la mano della D'Angelo sparire dietro la schiena, subito dopo il tessuto si era ammorbidito, allora Viera lo aveva spostato con il naso e aveva leccato il capezzolo. Aveva un sapore nuovo, sentiva il corpo sotto di sé muoversi, come risvegliato da quel tocco, aveva allungato la mano e trovato il bottone e la lampo dei jeans aperti. Era rimasta sopra lo slip di raso, ad accarezzarlo con dolcezza mentre disegnava con la lingua cerchi concentrici sempre più piccoli. Per un attimo aveva pensato alla biancheria che indossava lei, era nera, ma di cotone, nei negozi trovavi solo il necessario, reggiseni e mutande pratici, igienici e tristi, non aveva mai visto un completino così delicato e provocante allo stesso tempo. Per cacciare via quel pensiero, aveva leccato l'indice e il medio e li aveva infilati nello slip lilla della professoressa. Avevano sospirato entrambe. Poi si erano fermate per spogliarsi. Viera aveva sfilato velocemente la biancheria e l'aveva spinta sotto i jeans e la maglietta a righe.

"Ti posso chiedere quanti anni hai?" l'aveva guardata la professoressa.

"Ventuno."

"Te ne davo venticinque."

Viera aveva sorriso.

"E lei?"

"Chiamami Barbara," aveva insistito la D'Angelo.

"E tu, Barbara?"

"Indovina."

Viera le aveva preso la mano e l'aveva guidata fra le sue gambe. Le bocche si erano incollate di nuovo come in un risucchio d'aria, un vortice a due.

"*Si krásna*," le aveva sussurrato Viera in slovacco.

"Tu di più," aveva ricambiato la professoressa. Viera sapeva che non era vero: né la D'Angelo, né lei erano veramente belle, non di quella bellezza di cui avrebbe potuto vantarsi Katarína, ma erano lì, calde e vive. E a Viera questo piaceva.

9.

Hanno pagato e sono uscite, Viera per farsi perdonare ha lasciato alla cameriera venti corone di mancia.

Sull'autobus c'erano solo loro due sedute in fondo, mute. Katarína continuava a toccare il ciondolo a forma di foglia dentro la tasca. Avrebbe voluto parlare con Viera come aveva fatto la notte prima, ma non ci riusciva. Forse perché non avevano bevuto. O forse perché Viera le avrebbe detto di distruggere la foglia, di spedirla indietro in mille pezzi.

Si sono salutate in fretta e incamminate ciascuna nella direzione opposta.

"Ha il mal di testa," l'ha avvertita Jojo appena entrata in casa.

Da quando Dora se n'era andata, la madre soffriva di forti emicranie. Le succedeva soprattutto durante le feste e sia Katarína che Jojo intuivano il motivo. In quei momenti teneva gli occhi stretti per difendersi dalla luce e parlava piano, si rallentava tutta, pareva di dover sorreggere una montagna invisibile.

"Se mi ignorate mi passa prima," diceva, come se quella fosse davvero una soluzione. Adesso era in cucina, stava preparando il pranzo con uno strofinaccio attorno alla testa, un serial killer in versione domestica.

Katarína l'ha salutata con la mano, sua madre ha socchiuso di più gli occhi e aggrottato la fronte.

"È tutto pronto, se dovessimo aspettare te per cucinare..." ha sussurrato. In quel momento Katarína l'ha odiata.

Magdalénka è sbucata dalla porta del salone, dietro di lei Olga che cercava di acchiapparla, troppo tardi, la bambina ha strillato e ha abbracciato le gambe della zia. Katarína si è chinata per baciarle la testa e i capelli, sottili e profumati, si sono alzati carichi di energia statica. Ha fatto finta di starnutire e sua nipote ha riso. Poi è andata nella stanza, ha aperto il computer e ha controllato le mail. Ce n'era una di auguri dalla sua collega Jitka di Praga e poi un invito a un concerto natalizio del coro dell'università di Comenio di Bratislava.

Dora non le aveva risposto.

Ha afferrato il telefono e ha digitato velocemente: Buon Natale.

Dopo è rimasta a spostare lo sguardo dallo schermo del computer a quello del telefono. Come se aver scritto a Eugen potesse generare una mail di Dora.

Non è successo niente. Katarína ha sospirato, si è sdraiata sul letto a fissare il soffitto. C'era una crepa. Quando erano piccole, Dora sosteneva che il muro era marcio e con la crepa in mezzo rischiava di crollare. Katarína si addormentava con il terrore di trovarsi la mattina sepolta sotto il cemento. Oppure Dora le diceva che da lì uscivano ragni dalle zampe lunghissime che di notte prendevano le misure per scegliere la preda migliore. "Quindi scelgono te?" chiedeva Katarína alla sorella maggiore con un filo di voce. "Non è detto, tu hai la carne più tenera," ribatteva Dora. Negli anni, a Katarína era capitato ogni tanto di alzare lo sguardo verso la riga obliqua come se fosse un post-it che le ricordava qualcosa di importante.

Katarína si è seduta, ha preso di nuovo il computer, ha

digitato "Dora" nella posta elettronica, quindi è comparso l'elenco delle mail che si erano scambiate.

È andata a controllare la data dell'ultima risposta ricevuta: 14 settembre 2005.

C'erano solo due righe.

Le mail di Dora iniziavano sempre nello stesso modo: mia Pulce. Prima non l'aveva mai chiamata così, poi in una telefonata le aveva spiegato che quando pensava a lei si grattava, aveva riso: "Il pensiero di te mi fa venire il prurito". Katarína, con la cornetta premuta sull'orecchio, si era toccata la ferita appena sotto l'attaccatura dei capelli, non ci aveva pensato prima, Dora non poteva sapere, aveva iniziato a scavare quella buca solo dopo la sua partenza. Katarína invece nelle sue risposte scriveva Dorotka e si firmava Katka, come a volte le chiamava il fratello.

Dora le aveva scritto che si era trasferita a Washington, non stava più a Rockville. Aveva tantissimi "*troubles*" con il trasloco e con Ian, e non poteva trattenersi di più, ma appena la situazione si fosse calmata, si sarebbe fatta viva.

Da lì non si erano più sentite.

Katarína ha deglutito. Sapeva poco della vita attuale di Dora, gli squarci che si aprivano tramite la loro comunicazione sporadica facevano penetrare solo alcune immagini sfocate.

Non si erano mai conosciuti, sua sorella e suo marito. Katarína le aveva mandato una foto del matrimonio e lei aveva commentato: "Che meraviglia!". A Eugen invece aveva mostrato una foto di quando erano piccole: Dora, accovacciata per poterla stringere in vita, rideva, i denti bianchi in mostra, Katarína teneva il muso.

"Perché eri arrabbiata?" le aveva domandato Eugen.

"Non volevo fare la foto."

Katarína ha chiuso il portatile, ha spento il telefono.

Si erano parlati il giorno del matrimonio, Eugen e Dora. Quando erano tornati dalla cerimonia, il telefono di casa aveva squillato.

"Ha una bella voce," aveva constatato Eugen.

Katarína ha osservato il poster appeso al muro nella sua vecchia stanza, il tramonto in montagna, le cime innevate con un sole arancione, enorme.

Quando è partita, Dora aveva i capelli bagnati. Le aveva detto di aspettarla sotto il pergolato mentre lei consegnava i bagagli all'autista. Il pullman per Vienna era pieno, le valigie di quelli che scendevano all'aeroporto Schwechat andavano caricate alla fine. Quando era tornata da Katarína era zuppa d'acqua.

Dora le aveva sorriso.

"Piove per noi," aveva detto Katarína. Le nuvole erano libere di farlo.

Lei aveva annuito e poi l'aveva stretta a sé.

"Ti scriverò, ti chiamerò."

Come farai a chiamarmi? aveva pensato Katarína, quando tu sarai sveglia io dormirò. Non le sembrava di avere vent'anni, con Dora a fianco tornava sempre bambina. Aveva tirato su con il naso, dando la colpa a quell'inizio di ottobre particolarmente freddo. Si sentiva lenta, dentro la testa i pensieri apparivano uno alla volta.

"Ho paura," aveva detto Katarína.

"Non devi," aveva risposto lei, le aveva preso le mani e se le era portate alla bocca, un soffio caldo aveva attraversato le dita di Katarína. Poi le aveva baciate, pareva un sigillo. Si era staccata, il motore del pullman si era messo in moto. La Stazione centrale degli autobus sotto la pioggia puzzava da far venire la nausea.

Un senso di panico aveva assalito Katarína, aveva la bocca secca, non aveva detto niente, aveva aspettato che il pullman iniziasse a muoversi e poi aveva fatto un segno con la mano. Dora aveva dato un bacio al vetro del finestrino.

Prima di tornare a casa, Katarína aveva vagabondato per il centro, si era fermata sotto la Porta di San Michele, tremava tutta. Se la prendeva con la pioggia perché le lavava di dosso l'odore della sorella. Non aveva realizzato cosa avrebbe significato la sua partenza. Pensava di sì, ma non era vero. Solo il giorno del suo matrimonio, quando suo padre in macchina li portava a Praga, aveva capito che erano rimasti in quattro, che sulle foto ufficiali del suo matrimonio sarebbero stati quattro, per sempre.

10.

Katarína era sdraiata sul letto nel suo vestito da sposa, era frastornata, davanti agli occhi le sfilavano le immagini della giornata.

"Ora sono ubriaca, non capisco niente e ho un po' paura di aver fatto una cazzata," aveva riso.

Eugen aveva annuito. Non aveva detto "anche io" e lei gliene era stata grata. Era il 27 settembre del 2003, quasi mezzanotte, ed erano appena tornati dal ristorante Marina. Alle dodici di quello stesso giorno erano in piedi su una zattera, davanti a loro Lukáš, l'amico d'infanzia di Eugen, attorno la superficie argentata della Moldava. Allo slargo di ponte Carlo l'acqua rimaneva calma, quasi immobile. Si tenevano per mano e sorridevano. I rumori della città li raggiungevano solo come un riverbero gentile.

Le famiglie ancora incredule e gli amici li aspettavano sulla prua del ristorante galleggiante. Ogni tanto da lì si levava qualche grido di incoraggiamento.

Sotto lo smoking nero, Eugen portava la camicia bianca, sulle maniche una coppia di gemelli d'argento, il dono di suo padre, la benedizione dell'ultimo momento.

Katarína indossava un vestito lungo dello stesso colore del fiume, sembrava una fata, uno spirito di quelle acque lente. Non aveva voluto un vestito bianco, le sembrava volgare ostentare una presunta purità d'animo e di corpo: il fiume, anche se risplendeva, era torbido, le era parso più sincero assomigliargli. Quella mattina erano passati in comune, avevano firmato le carte, con Daniela e Lukáš come testimoni, un atto semplice e sbrigativo. Poi erano arrivati al fiume, avevano preso la zattera addobbata con i settembrini e si erano staccati dalla riva.

L'avevano deciso una sera di fine giugno, Katarína si era trasferita a Praga da poco. Erano usciti con Lukáš e altri amici dell'università, avevano bevuto ed Eugen l'aveva chiamata la "mia futura moglie slovacca". Quando erano ritornati all'appartamento, Katarína gli aveva detto che sì, era slovacca e sarebbe rimasta slovacca per tutta la vita, che detestava la parola matrimonio e ciò che il matrimonio faceva alle persone e che non voleva "una famiglia" perché la famiglia era il male. Quindi, per favore, che smettesse di chiamarla "moglie slovacca".

Eugen le aveva tolto dalle mani lo zaino che teneva come uno scudo, lo aveva appoggiato per terra e le aveva detto: "Siediti!". Lei aveva sgranato gli occhi e si era seduta.

"Lasciami parlare!" l'aveva ammonita. Katarína non si era mossa. "La mia famiglia mi ha dato tutto, mio padre ha scelto per me l'università, il lavoro, la casa, sì, questo appartamento, ha indagato sui miei amici e, se non gli andavano a genio, se li riteneva pericolosi, inadatti, fuorvianti, mi faceva cambiare idea. No, lasciami parlare. Non mi ha mai costretto a fare niente, ma lui è abile con le parole e io dopo un po' mi ci perdo. È la prima volta in vita mia che so cosa voglio. E nessuno potrà indagare su di te. Appena ti ho vista l'ho capito, tu emani una luce, un bagliore a cui io non riesco e non voglio dire di no. Vorrei sposarti domani, assicurarmi che sarai mia, e lo vorrei fare senza che lo decidesse mio padre. E sì, sarai la mia moglie slovacca, ti ho chiamata così non per deriderti, ma perché è ciò che vorrei."

C'era stato un attimo di silenzio, in cui lei aveva continuato a guardarlo con gli occhi sbarrati.

"Ma così sarebbe solo per far dispetto a tuo padre."

Lui aveva scosso la testa. Aveva sussurrato qualcosa che lei non aveva capito e poi le aveva chiesto: "Vuoi vedere come pensavo di farlo?".

"Cosa?"

Eugen l'aveva presa per mano ed erano usciti sul pianerottolo. Invece di chiamare l'ascensore, aveva infilato una chiave nella serratura di una piccola porta laterale. Dietro c'erano delle scale strette e ripide, in cima una porta metallica, chiusa a chiave anche quella, lui aveva trafficato un po' con il mazzo di chiavi, quindi era riuscito ad aprirla. Oltre c'era il buio, si vedeva appena una stretta passerella che portava alle parabole e alle antenne della televisione, sotto il tetto spiovente con le tegole arancioni. Katarína l'aveva seguito, attorno solo i suoni del traffico di Vinohradská.

"Pensavo di portarti qui venerdì prossimo. Ti avrei chiesto di sposarmi. Ti avrei detto che il matrimonio è una sfida e che io ho paura del vuoto, e poi qui, sopra i tetti di Praga, ti avrei chiesto di guardarlo con me, quel vuoto. Dopo ti avrei baciata."

Si era chinato su di lei: "E come vedi mio padre non c'entra niente".

"Peccato."

"Peccato cosa?" aveva chiesto lui.

"Che non l'hai fatto."

Poi Katarína l'aveva baciato, con la mano di Eugen intorno alla vita si era sentita libera e ancorata allo stesso tempo, dentro di sé sapeva che avrebbe detto di sì.

Erano ritornati sul tetto il venerdì seguente, e poi tante altre volte, era diventato il luogo dove dirsi le cose che contavano, lì avevano avuto l'idea del fiume come scenario perfetto per le nozze, lì avevano deciso di tenere all'oscuro tutti fino al giorno stesso, tranne gli unici complici, i loro testimoni Lukáš e Daniela.

La sera prima del 27 settembre aveva detto ai suoi genitori di vestirsi bene l'indomani, perché sarebbero andati in un ristorante di lusso a Praga, a pranzo con i genitori di Eugen. Ci sarebbero stati anche alcuni amici. Olga con il pancione non se l'era sentita di viaggiare.

Erano partiti presto. Il ristorante Marina era una vecchia nave ristrutturata sulla Moldava, ancorata alla riva con delle grosse catene metalliche e sostenuta da pilastri di cemento.

Una volta arrivati, Katarína era sparita con Daniela in bagno. Si era cambiata. Il vestito aveva sulla schiena una fila di bottoni minuscoli e lei aveva chiuso gli occhi mentre le dita di Daniela li abbottonavano pazientemente. Avrebbe voluto Viera lì ad aiutarla, ma lei era rimasta a Verona durante l'estate. Le aveva telefonato in agosto: "Tra un mese mi sposo".

"Smettila."

Viera lo aveva preso per uno scherzo, allora Katarína le aveva annunciato la data esatta e lei era rimasta in silenzio per un po'. "Non credo di farcela," aveva detto alla fine.

"Ci sarà Daniela al posto tuo."

Tempo prima si erano promesse di fare da testimone di nozze l'una all'altra, se mai si fossero sposate.

Daniela era stata gentile, le aveva corretto il mascara, fuori dal ristorante le aspettavano Eugen e Lukáš con la macchina per andare in comune. La sala addobbata di bianco si stava riempiendo, gli amici dell'università di Eugen avevano alzato i calici quando Katarína era passata davanti a loro. "Alla moglie slovacca," avevano gridato, "a Katarína!" Lei aveva incrociato lo sguardo di sua madre, da smarrito a furibondo in un lampo, suo padre la fissava incredulo. Aveva accelerato il passo, ma si era bloccata di colpo: sulla porta c'erano anche i genitori di Eugen. Un cameriere stava indicando loro il tavolo dei genitori dello sposo, la madre aveva spalancato la bocca e il padre era diventato paonazzo, si era fatto ripetere la frase, poi lentamente aveva guidato sua moglie verso il punto indicato. Daniela aveva preso Katarína sotto il braccio e l'aveva accompagnata verso l'uscita. A Katarína era sembrato che sua madre avesse gridato qualcosa, non si era girata, con una mano si era tastata la schiena, i bottoni erano ancora interi e freddi, per un attimo aveva temuto che gli sguardi potessero danneggiarli.

"Wow," aveva detto Eugen quando l'aveva vista. Honza, un suo collega, era spuntato dal ristorante: lo mandava il capo, aveva detto, in mano la coppia di gemelli d'argento del padre. Eugen aveva sorriso: "Possiamo andare".

Si erano seduti sui sedili posteriori, le dita incrociate, il fiato corto. Erano passati soltanto cinque mesi e dieci giorni da quando si erano incontrati.

Quando più tardi Katarína ed Eugen erano scesi dalla zattera ormai con le fedi scambiate, i visi degli ospiti parevano più rilassati. Il padre di Katarína aveva dato una pacca sulle spalle a Eugen e a lei un bacio sulla guancia. I genitori di Eugen passeggiavano fra i tavoli e salutavano parenti e amici.

La madre di Katarína era uscita sulla terrazza.

"Non si sentiva niente da qui," aveva detto alla figlia quando l'aveva raggiunta. C'erano solo loro due fuori, il sole se ne stava andando, la temperatura si era abbassata. Katarína aveva incrociato le braccia sul petto per proteggersi dal freddo.

"Cosa vi ho fatto, a te e a Dora?" aveva mormorato la madre dopo un po'.

Katarína si era girata verso di lei, ma sua madre l'aveva abbracciata e le aveva sussurrato "auguri" all'orecchio.

11.

Nell'hotel li chiamavano signor e signora Waber e Katarína si meravigliava di come il cognome di Eugen la includesse in quel mondo fatto di lentezza e di lusso. A lui si rivolgevano con riverenza, il direttore gli aveva chiesto più volte di poter salutare i genitori.

Il lunedì dopo le nozze erano arrivati a Mariánské Lázně. Eugen aveva prenotato una stanza all'ultimo piano dell'Hotel Hvězda, era sotto il tetto spiovente con le travi a vista. Dalla finestra si vedeva un grande parco con una fontana, gli alberi si tingevano di arancione e rosso e il panorama sembrava la muta conferma dell'atmosfera di quel posto.

Il primo giorno non erano usciti dalla stanza, il servizio in camera aveva lasciato le portate nel corridoio sul carrello, il cameriere aveva bussato, ma non era entrato. Avevano mangiato sdraiati sul letto, schiene nude appoggiate alla grande spalliera di ciliegio.

Verso sera si erano infilati gli accappatoi bianchi e le ciabatte con il logo dell'hotel, e mano nella mano erano scesi alle terme. Eugen camminava con la testa alta, sicuro, ogni tanto con la mano si spettinava il ciuffo di capelli.

All'ingresso Katarína aveva sussurrato: "Che meraviglia!".

Davanti a loro c'erano due vasche rivestite in maiolica

circondate dalle colonne in marmo, sopra un ampio soffitto a vetro, pareva di essere ancora nel Novecento. Katarína si era tolta una ciabatta e aveva messo un piede in acqua: era tiepida. Aveva strofinato piano sul pavimento bagnato, poi si era girata verso Eugen che la stava osservando: "Quando ero piccola facevo sempre così prima di entrare in acqua, se toccavo qualcosa di ruvido lo prendevo come un brutto segno". Nella piscina comunale dove sua madre portava lei, Jojo e Dora quando erano piccoli, c'erano piastrelle scheggiate, bisognava stare attenti e camminare su quelle integre per non tagliarsi. Dora correva senza badarci e dopo aveva i piedi tracciati da sottili linee rosse.

Si erano immersi lentamente, Katarína, in costume nero, si era sciolta i capelli e aveva infilato l'elastico sul polso, poi aveva inspirato profondamente, piegato le ginocchia e l'acqua si era richiusa sopra di lei. Aveva sentito il mondo mutare, i capelli galleggiavano intorno alla testa senza peso, nelle orecchie un tuono continuo, i polmoni si erano fermati nel tentativo di proteggere l'aria rimasta, dopo un po' le braccia di Eugen le avevano stretto la vita, l'avevano spinta in su e lei aveva respirato di nuovo.

"Non sono mai stata alle terme," aveva detto Katarína.

Allora Eugen l'aveva trascinata sotto le colonne da cui uscivano flussi d'acqua violenti come cascate, si erano lasciati schiaffeggiare le spalle fino a non sentirle, poi nella zona dell'idromassaggio con le bollicine che gli facevano il solletico sulle cosce, avevano riso. Le loro voci rimbombavano sopra le vasche, era venuta una donna ad avvisarli che stavano per chiudere.

Prima di tornare in camera Eugen aveva prenotato un bagno di fango per il giorno dopo. Katarína aveva preso le ciabatte in mano ed era ritornata in camera a piedi nudi sulla moquette rossa. Avevano fatto l'amore profumati e rilassati e si erano addormentati con i piedi che toccavano la spalliera scura del letto.

La mattina, dopo aver ciabattato lungo il corridoio, in una cabina con due letti li aspettava il fango. Una donna in pantaloni della tuta e maglietta bianca li aveva invitati a togliersi gli accappatoi e anche i costumi. Katarína aveva sbirciato Eugen che si era chinato per far scivolare giù i boxer, poi si era sdraiato sul lettino e un uomo, anche lui vestito tutto in bianco, aveva iniziato a ricoprirlo di fango. La donna aveva chiesto a Katarína se voleva uno slip di carta, poi l'aveva aiutata a salire sul lettino. Mentre le spalmava sul corpo la terra calda e melmosa aveva detto: "Ma lei è un capolavoro". Quando si erano rialzati parevano due statue di argilla, nella doccia si sbucciavano e strofinavano a vicenda. Eugen la ripuliva con un'attenzione meticolosa, incurante della propria crosta da sciacquare e lei si occupava del corpo di lui, le era sembrato strano, di un'intimità che quasi la imbarazzava. Si era ricordata di Viera, di quando si erano chiuse nel bagno e Viera le toccava il seno per prenderne la misura. Dopo la doccia erano entrati in un'altra vasca, più piccola di quella del giorno precedente, l'acqua era addizionata all'ozono.

La stagione alta delle terme stava finendo, dopo qualche giorno anche la Fontana canterina, il simbolo di Mariánské Lázně, avrebbe smesso di suonare. Avevano aspettato le cinque per sentire il concerto degli zampilli d'acqua fresca e limpida. A Katarína era sembrato un po' kitsch ma nello stesso tempo si divertiva a guardare i getti d'acqua programmati per accompagnare la traccia musicale. Eugen sembrava rilassato, le guance rosse, un braccio abbandonato attorno al collo di Katarína.

"Voglio ricordarmi tutto," gli aveva sussurrato lei nell'orecchio.

"Io voglio te," aveva risposto lui.

Ci erano rimasti altri sette giorni. Avevano provato la

cromoterapia, il bagno turco, il massaggio con le pietre e il percorso Kneipp. Tornavano nelle stanze sempre più nudi. A parte le terapie, seguivano i ritmi loro, a volte uscivano di notte a volte all'alba. La penultima sera si erano infilati nella piscina dell'idromassaggio, le bollicine erano spente, come anche le luci, ma avevano trovato la porta aperta e non avevano resistito. Dalle grandi vetrate entrava la luce bianca della luna piena, Katarína si era appoggiata con la schiena contro il petto di Eugen, lui le aveva stretto il seno, con l'altra mano le accarezzava le cosce. Dopo nel corridoio lungo e vuoto avevano corso avvolti in asciugamani, con i vestiti in mano, che avevano indossato per cena. Il ristorante dell'albergo era quasi vuoto, solo un'altra coppia occupava un tavolo centrale e un uomo anziano, che veniva tutte le sere a leggere un libro a un tavolino vicino alla finestra.

L'ultimo giorno Katarína aveva spedito una cartolina a Bratislava, solo dopo aver compilato l'indirizzo e averla rigirata fra le mani si era ricordata dove aveva già visto la scritta *Pozdravy z Mariánských Lázní*. Sua madre teneva una fotografia simile nella scatola dei ricordi, era una cartolina degli anni ottanta, con un blu del cielo eccessivo e un riquadro arancione fosforescente. Gliel'aveva mandata Jozef, forse da una gita scolastica, Katarína non lo sapeva, si ricordava soltanto la calligrafia minuscola di suo padre.

12.

Jozef insegnava storia in un istituto tecnico sulla Zochova, nel centro di Bratislava.

Prima dell'89 si limitava a insegnare la sua materia: con le classi leggeva ad alta voce i libri di testo sottolineando i concetti chiave, gli studenti imparavano tutti le stesse formule, date, spiegazioni, le ripetevano davanti alla cattedra e lui annotava i voti sul registro. Odiava soprattutto i testi che parlavano degli anni settanta, del XIV Congresso del Partito comunista cecoslovacco, della *quinta perestrojka*, del trionfo del Partito nelle elezioni nel 1971 con un'affluenza del 99,45 per cento, del cittadino comune che era diventato un socialista consapevole. Al di fuori del programma roseo del socialismo non succedeva niente. La Storia era un'accozzaglia di frasi vuote e vaghe.

Dopo la rivoluzione, fino all'arrivo dei nuovi libri, per la prima volta Jozef aveva preparato le lezioni a modo suo.

I primi giorni dopo la separazione se li ricordava bene, gli studenti erano inquieti, un ragazzo della I A gli aveva chiesto perché si erano divisi, perché la Cecoslovacchia aveva cessato di esistere. Nella classe era calato il silenzio, poi avevano iniziato a parlare tutti insieme, la maggioranza sapeva che in qualche modo c'entravano i politici Klaus e Mečiar, alcuni davano la colpa ai cechi che volevano ancora comandare gli slovacchi, altri agli slovacchi che erano diventati troppo nazionalisti. Un ragazzo era saltato fuori dal banco e aveva gridato che i cechi si erano appena giocati i monti Tatra, che adesso erano esclusivamente montagne slovacche. Jozef aveva cercato di calmare i ragazzi e riportare la conversazione a toni più sobri, non gli riusciva sempre, a casa non ci provava nemmeno. In un certo senso era eccitato quanto loro, non per la divisione in sé, non si schierava veramente, aveva evitato di farlo per tutta la vita, ma era eccitato come lo era stato anche nell'89, si sentiva importante perché faceva parte di un cambiamento storico.

La Cecoslovacchia si era divisa nella notte di Capodanno, il 1° gennaio 1993 era il primo giorno della neonata Repubblica Slovacca, alcuni alunni avevano confermato di aver festeggiato con i loro genitori, altri no, c'era poco da essere allegri, solo una piccolissima parte era andata in piazza SNP, dove Mečiar aveva tenuto il discorso.

La Cecoslovacchia era durata meno di settantacinque anni, non era mai esistita una nazione "cecoslovacca", anche se per aumentare la credibilità del nuovo Stato si era cercato di cavalcare questa idea. La lingua e la cultura slovacca si erano sviluppate più tardi rispetto a quelle ceche, e le due non si erano mai veramente amalgamate. Anche per questo, e per la maggioranza numerica dei cechi che erano quasi il doppio, in Cecoslovacchia gli slovacchi erano economicamente e culturalmente più deboli. Durante il comunismo le divergenze fra le due nazioni si erano un po' affievolite, il regime rappresentava il nemico comune da combattere per tutti. Ma poi l'avevano sconfitto.

Un collega di lavoro di Jozef, il professore di matematica Škorec, era venuto a scuola con il tricolore appuntato sul cappotto come lo avevano portato tutti nell'89. Nel giro di tre anni però i tre colori avevano smesso di rappresentare l'"Unione fa la forza" e avevano iniziato a significare "Slovacchia agli Slovacchi".

Škorec durante la ricreazione aveva intonato *Hej, Slováci*, la canzone diventata l'inno dei sostenitori della separazione, e alcuni colleghi di Jozef lo avevano accompagnato entusiasti. Jozef aveva appoggiato la tazza con il caffè sul tavolo e aveva fatto finta di leggere alcuni appunti su un quaderno. La situazione non era poi tanto diversa dagli anni passati, ma almeno ora poteva rimanere in disparte, gli era sembrato un miglioramento. Con Škorec, da quel giorno, si erano evitati.

Quando il primo ministro Mečiar aveva parlato in televisione, aveva rassicurato i cittadini. Il cambio dalla corona cecoslovacca a quella slovacca sarebbe stato uno a uno, almeno per quanto riguardava i conti correnti. Era esploso il panico, davanti alle filiali si erano formate code lunghe centinaia di metri, tutti volevano aprire nuovi conti con i risparmi tenuti sotto i materassi.

La valuta sarebbe dovuta restare comune per i sei mesi successivi alla separazione, ma subito la Repubblica Ceca aveva iniziato a incollare alle banconote i francobolli con la scritta corona ceca e a stampare le nuove monete. La Cecoslovacchia era morta, il lutto era già finito.

Katarína all'epoca frequentava il liceo in via Ladislava Sáru 1. Il liceo aveva una sezione bilingue per "offrire ai giovani le nuove possibilità nell'Europa nuovamente unita", come recitava lo slogan della scuola appeso all'ingresso. La lingua di insegnamento era lo slovacco insieme all'italiano.

Gli altri studenti del liceo chiamavano quelli della sezione bilingue "gli italiani". Katarína e Viera erano in I BI.

La professoressa di biologia, una donna alta e magra, con un collo così lungo che si era guadagnata il soprannome di "Giraffa", alla sua prima lezione dopo la separazione aveva pianto. "Se solo ce lo avessero chiesto, se solo ce lo avessero chiesto," ripeteva. Katarína sapeva che si riferiva al referendum mancato, i due leader dei partiti vincitori delle elezioni del '92 avevano deciso il destino del paese senza consultare il popolo. Anche a suo padre dispiaceva, la madre sosteneva che non era cambiato niente, prima decidevano per loro i comunisti e ora questi, la democrazia era proprio lontana.

Si era creato un gruppetto di ragazze attorno alla cattedra che cercava di consolare la professoressa, lei dopo un po' si era calmata e aveva ripreso con la spiegazione dello scheletro del neurocranio. Viera era rimasta seduta al banco con la faccia tesa, Katarína stava imparando a conoscerla, ma una cosa la sapeva già: il padre, che era di Rájec-Jestřebí nella Moravia meridionale, era diventato ufficialmente uno straniero, non che per Viera cambiasse molto.

Due mesi prima, Viera aveva invitato Katarína a casa, sua madre era di turno.

Nel salone aveva aperto alcuni armadi e rovistava dentro. Spuntavano maglioni, magliette, carte, pipe.

"Cosa cerchi?" aveva chiesto Katarína.

"L'alcol."

Sulla soglia era apparso il padre di Viera, tutto sorridente, ondeggiava come una foglia nella brezza leggera, solo che al posto della freschezza emanava un odore pungente di *slivovica*. Viera aveva trovato sotto una sciarpa una bottiglia di cognac e l'aveva alzata in aria come se fosse un trofeo appena conquistato. Si erano guardati, padre e figlia, poi lei aveva bevuto dalla bottiglia e lui aveva continuato a fissarla con un sorriso ebete. Non le aveva detto niente, aveva soltanto alzato il braccio e aperto il palmo, Viera gli aveva sbattuto la bottiglia in mano e aveva detto a Katarína: "Andiamo".

Erano uscite, erano le sei e fuori c'era già buio. Katarína ne era contenta, non voleva che l'amica vedesse la sua faccia, avrebbe potuto fraintendere. Non era scioccata per ciò che aveva appena visto, anzi, si sentiva quasi sollevata: con Viera avrebbe potuto parlare di tutto, proprio di tutto.

"Non credevo tornasse," aveva sbuffato Viera, "non si vedeva da giorni." A volte le sue bevute duravano settimane intere, aveva aggiunto.

Suo padre cambiava lavoro, di frequente, capitava che dopo un periodo tranquillo in cui prometteva di non toccare più niente, gli piombasse addosso lo spleen, come lo chiamava lui, e ritornasse a bere. Poi si scordava del lavoro, della sveglia, della giornata, della figlia.

Dopo la separazione, per poter rimanere a Bratislava, avrebbe dovuto chiedere il permesso di soggiorno. Non l'aveva fatto. Una sera aveva annunciato la decisione di tornare in Moravia, era sottinteso che sarebbe partito da solo, né Viera né sua madre avevano obiettato.

Più tardi, quando frequentavano l'università e andavano a casa di Viera con Daniela e Mirka, non ce n'era più traccia, nemmeno un paio di *papuče* in più, niente. Una volta Viera aveva raccontato loro che da quando se n'era andato non si erano più visti.

"Perché è ceco," aveva commentato Mirka.

"No, perché è una testa di cazzo," aveva risposto Viera, "solo una testa di cazzo."

13.

Per pranzo c'era la cotoletta con l'insalata russa. Magdalénka masticava rumorosamente, Olga ogni tanto le spostava la frangetta ai lati, era diventata troppo lunga.

"Qualcuno ha notizie di Dora?" ha chiesto d'un tratto Katarína.

"Ma sempre mentre mangiamo devi iniziare?" ha ringhiato sua madre.

"Basta voi due. E tu perché non intervieni mai?" ha domandato Jojo al padre. Jozef ha alzato gli occhi dal piatto e si è guardato attorno sorpreso.

Poi Jojo si è schiarito la gola: "Io e Olga, veramente, avremmo qualcosa da dirvi".

C'è stato un attimo di silenzio. La madre ha appoggiato le posate sul piatto. Ora tutti guardavano Olga, lei ha sorriso.

"Aspettiamo un fratellino per Magdalénka. O una sorellina," ha annunciato Jojo.

"No!" ha gridato la bambina. Olga ha cercato di abbracciarla, ma lei si è liberata e ha stretto le labbra.

La madre si è alzata dalla sedia, ma forse lo ha fatto troppo in fretta per il suo mal di testa, poi si è bloccata, si è appoggiata al tavolo ed è scivolata di nuovo giù.

"Congratulazioni," ha detto con una voce fiacca. Jozef è

andato a baciare la nuora. Olga ha detto che aveva appena superato il terzo mese.

"Alla creatura nella tua pancia, Olga!" ha detto la madre.

"A noi!" ha ribattuto Jojo e ha baciato la moglie. Ha cercato di dare un bacio anche a Magdalénka, ma lei lo ha schivato.

Katarína ha sospirato, ha fatto un giro attorno al tavolo, ha preso Magdalénka per mano e se l'è portata dietro.

Katarína, da bambina, diceva: "Io non avrò figli, mai mai". Lo diceva soprattutto dopo le notti in cui le sfuriate della madre raggiungevano il culmine.

Una volta il padre l'aveva dimenticata su un tram. Lei aveva cinque anni. L'aveva presa dall'asilo e le aveva proposto di fare un giro. A volte non voleva tornare a casa. Quel giorno erano saliti sul 9, perché il 9 passava per la galleria sotto il castello di Bratislava. C'era una porta a metà del tunnel. Il tram illuminato sfrecciava nel buio compatto della galleria. Katarína, con il viso appiccicato al vetro, aspettava l'attimo in cui il muro scuro del traforo sarebbe stato sostituito da una porta metallica. A volte bastava sbattere le palpebre per perderla. Era sempre chiusa e Katarína aveva sentito parlare di alcuni ragazzi che avevano tentato di aprirla. Suo padre beveva del vino, l'aveva comprato nel chiosco di fronte alla Terrazza prima di salire sul tram, la bottiglia era di vetro verde. Parlava ad alta voce, le parole erano deformi, zoppe, gli uscivano dalla bocca con fatica.

All'improvviso Katarína aveva strillato e si era ritirata di scatto, l'aveva vista, non ne poteva essere sicura ma le era sembrato che la porta fosse aperta. Suo padre aveva sghignazzato. Un signore si era lamentato, si era rivolto a Katarína, ma lei tremava e con gli occhi sbarrati fissava il buio del tunnel.

Dopo, suo padre si era addormentato e lei, seduta al suo fianco, aveva osservato i palazzi e i negozi del centro.

Al capolinea l'autista aveva cercato di svegliare suo padre, alla fine li aveva lasciati lì, sui sedili di plastica gialli a fare la pausa con lui. Durante il viaggio di ritorno si era addormentata anche Katarína, e quando si era risvegliata, suo padre non c'era. La fermata successiva le era parsa familiare, infatti era la stessa da cui erano partiti per andare in centro, Katarína aveva fatto la sosta con l'autista anche all'altro capolinea, era scesa subito. Sul binario opposto Dora marciava avanti e indietro. Sua sorella l'aveva stretta fin quasi a soffocarla, poi erano andate alla pasticceria Cukráreň na Terase, sopra la Terrazza, si erano sedute a un tavolino.

"Mangia piano, non c'è nessuna fretta," le aveva detto Dora.

Quando più tardi erano rientrate in casa, sul tavolo della cucina c'erano due bottiglie di vetro verde.

"L'ho trovata, era sul tram."

La madre si era zittita, Jozef si era girato per vederle, Dora teneva Katarína ancora per mano, le stritolava le dita.

Quella notte Katarína si era infilata nel letto di Dora, come tante altre volte lei non aveva detto di no.

Magdalénka si è seduta sul tappeto nella sua stanza, teneva il broncio, a Katarína è venuto da sorridere. Ha aperto di nuovo il computer, sullo schermo si è ricaricata la pagina della posta elettronica con la ricerca "Dora", l'elenco delle mail che sua sorella le aveva mandato dagli Stati Uniti. Ne ha aperta una.

da: Dora <dora.superdora73@hotmail.com>
a: Katarína <katka_horvathova78@hotmail.com>
data: 16 feb 1999, 11:17
oggetto: Oh!

Mia Pulce,

sto preparando le ciambelle, i primi giorni potevo solo cospargerle di zucchero o di bastoncini colorati, ma ora riesco a lavorare l'impasto. Guadagno più di nostro padre, quindi anche se è uno stupido lavoretto, sono contenta. Ho lasciato la casa di Igor, sua madre mi trattava come se fossi una specie di parassita (le ho detto: non mi scopo suo figlio, mi sta dando solo una mano, e lei: allora scordatelo). Ho trovato questa stanza, sempre a Rockville, da un'amica di Igor, Madly.

Madly mi ha procurato il posto da Dunkin' Donuts, ci aveva lavorato in passato e conosce bene il capo. Al pomeriggio vado al corso d'inglese per stranieri, anche quello me lo ha consigliato lei, credo che un po' le dispiaccia per me, in qualche modo mi capisce, è brasiliana.

Il mio visto è scaduto, se parto ora, non potrò più tornare qui.

Scusa se scrivo poco, ma tu scrivimi, ti leggo sempre.

Tua,

Volpe

Era vero che Dora aveva iniziato a chiamarla Pulce solo dopo la sua partenza, ma lei, Volpe, lo era già. Era stato il padre a darle quel nomignolo e a turno lo usavano tutti.

Le regole dei loro genitori erano poco chiare, la madre cambiava idea spesso, era difficile orientarsi in quel labirinto di divieti e raccomandazioni. Il padre non gli ordinava mai niente, con lui erano liberi e trasparenti. Katarína cercava di guadagnarsi la sua attenzione obbedendo scrupolosamente agli accenni delle sue volontà ma lui non sembrava apprezzare, forse non se ne accorgeva nemmeno. Dora sì e la prendeva in giro: sei andata a buttare la spazzatura al posto di papà? Brava, ma tanto lui non sa che era il suo turno. Un sabato mattina il padre le aveva raggiunte in cucina mentre facevano colazione, era maggio e dalla finestra filtrava la luce matura del sole. Dora aveva spalmato la marmellata sul panino di Katarína, poi aveva leccato il coltello dalla parte non affilata. Jojo dormiva ancora. Il padre le aveva guardate con un sorrisetto, poi gli aveva mostrato due biglietti per la manifestazione *Pravda-Televízia-Slovnaft '84*. C'è Sergej Bubka! aveva aggiunto entusiasta. Katarína, che aveva da poco compiuto sei anni, non sapeva chi fosse ma aveva battuto le mani, Dora, già alta con gli occhi vispi e la coda lunga, aveva storto il labbro, non le interessava l'atletica. Il padre era andato ad abbracciarla e le aveva sussurrato: la mia volpina vuole solo annoiarsi oggi? Alle volpi non piacciono le galline che schizzano troppo in alto, aveva risposto lei.

Quella sera Bubka aveva saltato il suo primo record mondiale e suo padre aveva alzato Katarína su, in cielo, sembrava davvero felice.

Katarína ha spinto il computer più lontano sul letto, come è che quella volta suo padre aveva solo due biglietti? Come pensava di scegliere fra loro tre? Ha spostato lo sguardo sulla nipote sul tappeto. Magdalénka ha preso lo specchio girevole, un portagioielli in legno bianco con un piccolo cassetto, e si è guardata corrucciata.

Katarína ha acceso il telefono, che ha subito suonato. Era Eugen: era stato contento di ricevere il messaggio d'auguri, stava a casa dei suoi, la salutavano tutti. Katarína gli ha passato Magdalénka, che, di nuovo raggiante, ha voluto elencare i doni ricevuti. Poi lui ha chiesto di ripassargli la zia.

"Lukáš organizza il Capodanno alla Torre di Žižkov."

Katarína, senza volerlo, si è incuriosita. Lukáš, il loro testimone, non dava mai feste.

"Ha prenotato tutto l'ultimo piano, è entusiasta..." ha continuato Eugen.

Due anni prima a organizzare la festa era stato Radek, un collega di Eugen di cui Katarína conosceva solo il nome. Radek era tra i preferiti del padre di Eugen, così avevano accettato il suo invito. Erano andati al club Mecca, il loro tavolo era in un privé con pareti argentate e divanetti di pelle bianca. Katarína conosceva solo Honza, un altro collega, con il quale qualche volta Eugen giocava a squash. In quella saletta Katarína aveva iniziato a parlare ceco. Da quando era a Praga continuava a usare lo slovacco ovunque, nei negozi, alla posta, al mercato. A volte le persone non capivano e allora lei traduceva in ceco, ma parlarlo direttamente non le veniva spontaneo. Quella sera la musica era altissima e sarebbe stato difficile capirsi, ma non era per quello che si era decisa.

Stava sorseggiando lo champagne, seduta con metà del sedere su quel divano "VIP", quando Radek aveva domandato urlando per sovrastare la musica assordante: "Nel 2012 ci sarà la fine del mondo, e sapete chi si salverà?".

Si era guardato attorno e poi soddisfatto aveva gridato: "Gli slovacchi, perché là sono trent'anni indietro".

Avevano riso tutti, Eugen aveva sbirciato Katarína, lei aveva spalancato la bocca.

Un tipo con una giacca dorata, un Elvis Presley biondo aveva subito ribattuto: "Chiedono a Mečiar: 'Qual è la nazione più scema?'. E lui: 'Che importa? Abbiamo delle belle canzoni'.".

Di nuovo un boato di risate.

"Volete che ve ne canti una?" aveva chiesto Katarína, ma l'avevano sentita solo Radek ed Eugen che erano seduti al suo fianco.

Radek le aveva messo un braccio sulla spalla: ma sì, dai, sono solo barzellette.

La serata aveva preso quella piega, a ridere degli slovacchi, dei tedeschi e degli zingari, che poi erano sempre slovacchi. Katarína beveva, sghignazzava insieme all'Elvis biondo, e se qualcuno le domandava qualcosa rispondeva in ceco. Con Eugen erano andati via subito dopo la mezzanotte, davanti alla Mecca lei si era accasciata sul marciapiede.

Eugen, a quel punto, al telefono ha detto: "Potresti venire al Capodanno che organizza Lukáš, alla Torre".

Dalla Torre si vedeva casa loro.

La Torre Televisiva di Žižkov era nota fra i praghesi come il secondo edificio più brutto del mondo. Sembrava un razzo spaziale pronto per il decollo, con delle statue di bambini neri che gattonavano spensierati sulla sua superficie. Al primo piano, a sessantasei metri di altezza, si trovava il ristorante Oblaca e da lì si vedevano le finestre di casa loro. Una volta Eugen aveva scritto qualcosa su un foglio e lo aveva attaccato sul vetro, poi erano saliti sulla Torre. Il foglio era un rettangolo bianco al centro della finestra, la scritta non si leggeva.

"Potresti venire," ha ripetuto Eugen. L'ha detto come se non fossero passati due mesi da quando l'aveva lasciata con uno stupido bigliettino in mano, come se fosse normale andarsene di casa per poi chiamare e invitarla a una festa.

"Veramente per Capodanno sarò in Italia." La risposta le è uscita fiera, parole convinte dalle quali ha capito che aveva appena preso una decisione.

La scritta diceva ti amo in ceco, ma dalla Torre non si vedeva.

14.

La prima volta che Eugen le aveva detto ti amo erano passati trentasette giorni da quando si erano conosciuti. Li aveva contati per capire se si fosse trasferita da lui troppo presto, in effetti lo aveva fatto. La sera si era infilata nel letto, Eugen l'aveva stretta e le aveva sussurrato "ti amo", lei gli aveva risposto "grazie". Lui aveva sorriso, ma Katarína era seria.

Nel gennaio del 2003 Viera era partita per Verona, e Katarína si era rintanata in casa cercando di studiare filologia romanza, il suo ultimo esame, poi di scrivere la tesi di laurea. Daniela e Mirka le telefonavano a giorni alterni, ma lei non voleva uscire. L'avevano lasciata perdere, ma dopo l'ultimo esame, alla caffetteria dell'università, si erano buttate all'attacco, non avevano bisogno di Viera per divertirsi.

Così a Pasqua erano andate a Praga. Era aprile, ma faceva stranamente caldo, erano scese dal treno sudate, con la voglia di rinfrescarsi. Avevano preso la metro fino all'ostello, un posto squallido, con quattro letti e un armadio di compensato giallo. C'era una puzza diffusa e il pavimento luccicava, ma non era chiaro se perché era stato lavato di recente o perché era impiastricciato. Avevano deciso di uscire subito per andare allo zoo, ma non ci erano arrivate, si erano ritrovate lungo il canale di Troja a passeggiare e a osservare le canoe.

Il rafting era stata un'idea di Daniela. Era nella fase "faccio cose nuove". Nessuna di loro era mai salita su un gommone, ma Daniela aveva insistito. Era facilissimo, bastava seguire le istruzioni, il canale era sicuro, così aveva detto la guida. Lui, la guida, che si faceva chiámare Jerry perché per gli stranieri era più facile, aveva proposto alle ragazze di unirsi a un gruppo dove erano solo in tre.

Katarína si era ritrovata in mezzo a un ragazzo con i capelli rossi un po' impacciato, e uno che appena era salita le aveva dato la mano presentandosi. Eugen, che nome!, aveva pensato lei. Aveva le mascelle larghe con la barba di qualche giorno e un sorrisetto inafferrabile. Portava un anello con uno stemma sul mignolo.

Erano partiti, il gommone saltellava di qua e di là e strattonava. Jerry urlava i comandi che i tre ragazzi eseguivano senza sforzi. Mirka teneva la pagaia come se fosse un cucchiaio di legno dimenticato in pentola. Daniela gridava e remava, e Katarína cercava di copiare i movimenti del tizio con i capelli rossi, ma lui si muoveva a scatti, non riusciva a seguirlo. Con la coda dell'occhio aveva visto Eugen alzare le spalle, affondare dolcemente la pagaia nell'acqua, tirarla verso di sé e di nuovo rialzarla, sembrava così semplice. Katarína aveva immerso il remo, si era sorpresa di quanto ora spingesse. Poi Jerry aveva gridato "agganciare", il gommone si era impennato, lei aveva fatto una capriola sul bordo e un secondo dopo era in acqua.

Il canale era gelido. Quando Eugen le aveva afferrato la mano, Katarína l'aveva stretta a fatica, le era sembrato che si fosse ghiacciata all'istante. Jerry le aveva detto di non fare niente, di lasciarsi semplicemente trainare da loro. Katarína non era stata in grado di rispondergli, i muscoli del corpo non obbedivano ai suoi comandi. Di nuovo sul gommone aveva iniziato a tremare. Daniela piangeva e Katarína sospettava fosse per lo spavento. Mirka le chiedeva come stava, gliel'aveva domandato almeno cinque volte. Alla fine le aveva risposto: "Mi sento bene, Mirka, ho solo un freddo infernale". Aveva detto così e tutti erano scoppiati a ridere. Non era poi così divertente, ma forse avevano bisogno di sfogare la tensione. Jerry aveva commentato che le cadute erano le uniche esperienze che rimanevano impresse a lungo, l'aveva detto sorridendo, probabilmente non voleva intendere niente di più, ma a Katarína la frase riecheggiava nella testa. Non si era accorta di quando avevano attraccato. La mano di Eugen, da quando era stata trascinata sulla prua, non aveva smesso di accarezzarle la schiena. Era l'unico punto caldo sul suo corpo.

Nel bagagliaio della macchina Eugen aveva un plaid di lana, Katarína aveva tolto i vestiti bagnati e ci si era arrotolata dentro. Seduta sul sedile anteriore lo osservava mentre guidava.

Eugen le aveva accompagnate all'ostello, che si trovava esattamente di fronte a casa sua. Durante il tragitto, l'aveva sbirciata più volte, lei faceva finta di non accorgersene, si girava verso il finestrino per guardare fuori. A un semaforo Eugen le aveva chiesto se avesse ancora freddo.

Quando si erano fermati davanti all'ostello, le aveva posato la mano sul ginocchio.

"Dov'è casa tua?" gli aveva chiesto Katarína.

Lui aveva indicato il portone davanti e a lei era sembrato un segno.

A casa di Eugen la prima cosa che aveva notato erano le scale di legno che portavano dal salone al piano superiore della mansarda. I gradini avevano gli angoli smussati e insieme creavano una leggera onda che collegava il sotto con il sopra. Si era seduta sul divano, con la coperta ripiegata sulle ginocchia. Eugen le aveva aperto la porta in accappatoio, i capelli bagnati, rivoli trasparenti sulla faccia, aspettami un momento, aveva detto. Katarína si era accomodata sul divano, la temperatura dell'acqua dell'ostello si avvicinava a quella del canale, la sua doccia era durata molto poco. Da destra arrivava il suono del phon, poi Eugen era uscito con i jeans e una maglietta bianca, la barba era scomparsa, la pelle liscia, profumata. Lei avrebbe potuto alzarsi, ringraziarlo e andarsene. Quando aveva detto alle amiche che le avrebbe raggiunte in centro più tardi, sapeva già che non sarebbe successo. Ma non credeva di essere in grado di suonare alla porta di uno sconosciuto e rimanerci per la notte.

Eugen si era fermato vicino al divano con le mani in tasca, le aveva chiesto se voleva qualcosa da bere.

Aveva una bottiglia di Franciacorta in frigo, lo aveva comprato al lago d'Iseo e gli piaceva perché aveva una bollicina sottile ma persistente. Si era sentito un tonfo sordo.

Poi era tornato in salone con in mano due flûte, e avevano brindato.

"Non sono un'esperta di vini."

"Nessuno è perfetto," aveva sorriso Eugen.

Erano in piedi, di fronte alla finestra obliqua come il muro che si restringeva sopra le scale.

Fuori iniziava a piovere, le gocce cadevano sul vetro e scivolavano giù, grosse lacrime di un dio invisibile. Si era chinato su di lei e l'aveva baciata. Katarína aveva spalancato gli occhi, non se lo aspettava, non subito perlomeno. L'aveva stretta a sé, aveva fatto un passo minuscolo, come di danza, lo aveva seguito. La sua mano la stringeva attorno alla vita, era calda, e Katarína si era resa conto che era quello che voleva, quello per cui era andata lì. Lui le aveva preso il bicchiere e lo aveva appoggiato sulle scale, il braccio ancora attorno alla sua vita.

Le aveva sussurrato nell'orecchio: "Non riesco a smettere di pensarti nuda sotto quel plaid".

Come a rimarcare il senso di quelle parole, Katarína aveva sentito la sua erezione spingere contro il bacino, ci aveva portato la mano e lui l'aveva baciata con foga. I vestiti erano caduti attorno a loro come radici strappate alla terra da una tempesta. Lui talvolta si fermava per guardarla e poi si ributtava dentro, lei in quegli attimi riprendeva il respiro. Erano sotto le scale, sdraiati sul pavimento, dopo un attimo avevano le dita intrecciate, si muovevano piano, lei curvava la schiena, un meccanismo perfetto. Alla fine Katarína aveva girato la testa verso le loro mani, sul mignolo lui portava quell'anello grande.

15.

A dicembre del 2004 Eugen aveva ricevuto una proposta di collaborazione dalla Xeniva UK, aveva accettato entusiasta. Rimaneva due, tre giorni alla settimana nella sede di Londra. Dopo il primo mese in cui si era limitato a osservare, aveva iniziato a partecipare più attivamente alle riunioni. Lo metteva a disagio solo un certo Rick, un collega scozzese con un accento fortissimo.

Quando il venerdì tornava a casa, imitava per Katarína la pronuncia serrata di Rick, ne ridevano entrambi. Lei avvinghiata a lui il più possibile, come a recuperare il contatto negato nei giorni precedenti, lui finalmente rilassato, non più in allerta.

Katarína aveva riflettuto a lungo su quale sarebbe stato il momento giusto per dirglielo. Poi aveva scelto il lunedì, la sera prima della partenza. Una voce le diceva di dargli il tempo per digerire la notizia, di essere paziente. In quel periodo era così preso dal lavoro.

"È affidabile?" aveva chiesto Eugen prendendo in mano il test di gravidanza.

Lei lo aveva guardato sorpresa. Eugen era ancora in giacca e cravatta, era appena rincasato dall'ufficio di Praga e non aveva avuto il tempo di spogliarsi dalla maschera del manager di successo che indossava durante il giorno. Lei per la prima volta non l'aveva riconosciuto. Un estraneo. Gli aveva tolto il test dalle mani stando attenta a non sfiorarlo. Lui si era pettinato i capelli con le dita, era un gesto che piaceva a Katarína, ma in quel momento le era sembrato goffo, aveva avvertito fastidio.

"Ma come è possibile?" aveva chiesto infine Eugen, sempre con la mano in testa, "voglio dire, non stavi prendendo la pillola?"

Katarína aveva serrato la mascella, sì, prendeva la pillola, ma sul bugiardino si leggeva che la probabilità di rimanere incinta era dell'1 per cento, evidentemente lei corrispondeva a quell'1 per cento.

Quella sera lui si era piazzato davanti a una partita di hockey e lei, accusando un mal di testa, era andata a dormire. Più tardi, a letto, Eugen l'aveva abbracciata. "Scusami," le aveva sussurrato. Il giorno dopo era ripartito.

Il venerdì, l'aereo era atterrato in orario: il taxi riportava Eugen a casa.

Katarína aveva la faccia stanca e gli occhi gonfi, in testa aveva le immagini sfocate della giornata.

La mattina, sul vagone della metro A, aveva sentito il bagnato fra le gambe, le si erano piegate le ginocchia ed era scivolata su un sedile libero. Era diretta in centro per scegliere un regalo per il compleanno della madre di Eugen, pensava di godersi la mattinata nelle viuzze della Città Vecchia. Alla fermata Muzeum aveva cambiato per la C, era scesa a Kačerov. L'ambulatorio della dottoressa Milošová si trovava nell'ospedale Thomayerova, altre due fermate dell'autobus 189. I jeans tra le gambe erano rossi, aveva sbirciato mentre era seduta. Non aveva nessun assorbente in borsa.

L'infermiera al reparto le aveva chiesto se aveva un appuntamento, Katarína aveva cercato di spiegare, ma la donna con un petto enorme l'aveva interrotta: "Questo lo dirà alla dottoressa, ce l'ha un appuntamento?".

"No," si era toccata la pancia. L'infermiera aveva scritto qualcosa su un foglio.

"Ultime mestruazioni?"

Erano in un corridoio, sotto le finestre una fila di sedie tutte occupate da donne con pance di varie misure.

"Sedici dicembre," aveva detto Katarína con un filo di voce, "potrei avere un assorbente?"

L'infermiera aveva schioccato la lingua come infastidita e se n'era andata. Era tornata con un assorbente post parto e Katarína l'aveva ringraziata. Poi aveva chiesto del bagno e l'altra le aveva indicato una porta verde senza scritta. La porta rimaneva scostata, aveva dovuto spingere la maniglia con un gomito per tenerla chiusa. I jeans erano da buttare, aveva cercato di asciugarli con i fazzoletti che teneva in borsa, la carta igienica non c'era, aveva raccolto tanti filamenti rossi, grumi scuri che l'avevano fatta spaventare ancora di più. Si era messa quella cosa enorme tra le gambe, l'unica sensazione positiva era che si sentiva asciutta.

Aveva atteso fino a quando l'ultima delle pazienti con un regolare appuntamento non era entrata dentro l'ambulatorio, avrebbe potuto litigare con l'infermiera, tentare al pronto soccorso, ma voleva parlare con la dottoressa. Era stata gentile con lei quando in autunno era venuta per la prima visita ginecologica, e questo non era un atteggiamento scontato, non a Praga.

La dottoressa Milošová l'aveva visitata con un'ecografia transvaginale e le aveva mostrato il suo utero senza macchia, pulito.

"Capita spesso," aveva detto, "la maggior parte delle donne non si accorge nemmeno della gravidanza, succede troppo in fretta."

Lei se n'era accorta. La dottoressa le aveva consigliato di stare a riposo per un paio di giorni.

"Le serve un certificato?" aveva ringhiato l'infermiera. Katarína aveva guardato la dottoressa.

"Per il lavoro," aveva spiegato lei con pazienza. Era venerdì 28 gennaio, Katarína aveva due lezioni serali.

"Sì."

L'infermiera aveva compilato un foglio e gliel'aveva allungato dicendo: "Su, non è successo niente".

Non era successo niente.

"Dopo il prossimo ciclo, è meglio se viene a fare un controllo," le aveva sorriso la dottoressa. L'infermiera aveva sbuffato: "Chiami prima!".

Katarína aveva annuito.

Il bus numero 189 era colmo di persone, era rimasta sugli scalini, schiacciata contro la porta.

A casa si era addormentata, ma prima di crollare sul divano aveva avvisato la scuola. Oggi non vengo, ho abortito, non l'aveva detto ma l'aveva pensato mentre parlava con la responsabile. Poi aveva chiamato Eugen, ed era stata concisa al telefono. Forse, se lui in quel momento fosse stato lì, gli avrebbe raccontato dell'infermiera stronza e del gabinetto squallido, del disagio di tenere le ginocchia in aria e un tubo gommoso fra le gambe. Invece si era addormentata, nel sogno camminava in un fiume nero, qualcuno gridava.

Si era svegliata che fuori era già buio, la pancia le faceva male. In bagno si era guardata allo specchio, aveva la faccia gonfia, era ancora stanca.

Eugen sarebbe dovuto arrivare a momenti, così aveva ricacciato indietro le lacrime e si era seduta in salone ad aspettarlo.

Finalmente aveva sentito la chiave girare. Eugen aveva aperto la porta, acceso le luci nell'ingresso e appoggiato il piccolo trolley per terra. Poi alcuni passi e l'abbraccio, le aveva baciato le labbra, ma lei non si era mossa.

"Mi dispiace," aveva sussurrato Eugen.

Dalla finestra obliqua penetrava lo scuro del cielo invernale, il gelo aveva disegnato tutta la cornice con la brina.

Eugen si era seduto a gambe incrociate ai suoi piedi, sembrava un ragazzino in attesa di sentire una storia.

"Non ora, sono troppo stanca."

Avrei bisogno di vuoto, aveva pensato. Si era spaventata a quel pensiero. Eugen l'aveva aiutata a salire le scale, non serviva veramente, ma era stato bello sentirlo così forte, sicuro al suo fianco. A letto aveva pianto.

Nei giorni successivi Eugen aveva tentato più volte di parlare di quanto era accaduto, ma Katarína si irrigidiva e taceva, oppure cambiava discorso o ripeteva: non ora.

Alla fine lui aveva smesso di chiedere.

16.

Katarína si è incantata a guardare Magdalénka mentre chiacchierava al telefono di peluche rosa.

"Katarína, ci sei?"

La voce di Eugen rimbombava nella stanza. Katarína si è guardata attorno, era seduta sul letto con il cellulare in grembo, non sapeva da quanto tempo.

Ha alzato la mano con il telefono e inclinato la testa di lato. "Sì." Ha sentito un lungo sospiro dall'altra parte, non ha capito se di sollievo o di rabbia. "Dove sei?" ha chiesto a Eugen senza pensarci.

"Te l'ho detto: dai miei."

"Ci dormi anche?" ha aggiunto.

"No."

Sono una cretina, ha pensato.

"Vivo da Lukáš," si è affrettato a dire Eugen, "sono quasi due mesi che sto lì."

"Non ci credo," ha obiettato lei con voce stanca.

"E perché pensi che organizzi il Capodanno sulla Torre?"

Lukáš sosteneva che lei fosse la cosa migliore mai capitata a Eugen. Sperava forse di riappacificarli così, con una festa?

"Digli che sarò a Verona."

"Ma parti con Viera?" Era nervoso.

Per la prima volta da quando Eugen se n'era andato, Katarína lo ha sentito triste. Per un attimo è sembrato che fosse stata lei a sparire da un giorno all'altro.

"Sì, vado con lei, ho bisogno di fare un viaggio."

A Eugen Viera non era mai piaciuta veramente. Quando si erano incontrati, Katarína gli aveva raccontato della professoressa e di come Viera avesse messo tutti da parte. Non esisteva nessuno al di fuori di quella donna italiana, ne era stata stregata. Eugen un po' la difendeva, l'amore è così però, aveva detto.

Ma Viera sapeva prendersi gioco delle persone, non si faceva grandi scrupoli. Katarína l'aveva già capito alle superiori. Solo più tardi, conoscendo meglio l'amica, aveva compreso che la sua non era cattiveria, ma un modo di mettersi al riparo, di divorare invece di essere divorata.

La prima volta era successo alla fine del 1996. Il paese era irrequieto, erano passati circa dodici mesi dal rapimento del figlio del presidente della Repubblica e sei mesi dall'assassinio del giovane poliziotto Róbert Remiáš. Mečiar sorrideva dagli schermi dei televisori e ripeteva che non era successo assolutamente nulla. I malavitosi responsabili di quei crimini non potevano essere collegati al suo amico Lexa, capo dei servizi segreti, e tantomeno a lui! Era tutto ridicolo e falso! Nonostante la faccia paonazza e rotonda del primo ministro, nonostante la sua voce ferma e il pollice alzato, i cittadini spegnevano la televisione in silenzio. Forse solo la madre di Remiáš avrebbe avuto qualcosa da dire.

La democrazia assomigliava fin troppo agli anni bui del passato. Più tardi la Slovacchia sarebbe stata definita "il buco nero dell'Europa". Un buco nero che risucchiava tutto.

Viera fiutava il clima, era uno strano segugio. La mattina analizzava sui banchi del liceo *Dei sepolcri* di Foscolo e nei pomeriggi trascinava Katarína in giro per i nuovi negozietti che spuntavano nelle vie interne dei quartieri.

La prima volta, dietro alla chiesa di San Michele a Karlova Ves, Viera le aveva detto: "Seguimi". Erano entrate in una piccola bottega che vendeva detersivi, shampoo, creme. La proprietaria chiacchierava con una cliente all'ingresso, si erano dovute spostare per far passare le due ragazze e Viera aveva ringraziato. Dentro c'erano due scaffali colmi di merce. Viera si era avvicinata a uno, aveva preso una spazzola per capelli e se l'era ficcata nella tasca del giubbotto. Katarína aveva sgranato gli occhi, poi Viera si era spostata verso lo scaffale opposto e lentamente aveva fatto scivolare un fermaglio di legno dentro la manica, pareva un numero da prestigiatore.

"Che profumo!" aveva esclamato aprendo un vasetto di crema a forma di sfera. L'aveva fatta annusare anche a Katarína, l'aveva richiusa e rimessa a posto ed era uscita salutando educatamente. Katarína aveva farfugliato qualcosa, il cuore le batteva forte nelle orecchie.

Avevano camminato a passo spedito fino alla fermata del tram. Viera le aveva detto di muoversi, Katarína era inciampata due volte. La schiena dell'amica era dritta, le mani nelle tasche del giubbotto, pareva rilassata, solo le gambe tradivano l'emozione.

Sul tram Viera le aveva messo qualcosa in mano: "Questo è tuo, fanne quello che vuoi".

Katarína aveva fissato il fermaglio, poi la faccia dell'amica. La sua espressione aveva fatto sorridere Viera. Si erano liberati due posti, si erano sedute e Viera le aveva detto: "Dai, è per tirarti su, finirà questo momentaccio".

Katarína sapeva a cosa si riferiva. Suo padre aveva perso il lavoro tre mesi prima. Il professore di matematica Škorec, sostenitore accanito di Mečiar, era diventato preside dell'istituto e aveva pensato di ripulirlo iniziando proprio da Jozef. Ora il padre passava le giornate seduto in poltrona davanti alla tv o alla finestra, non sembrava che per lui cambiasse molto. Alle quattro del pomeriggio era già completamente ubriaco. La madre, quando la sera rincasava, lo svegliava per ricoprirlo di insulti.

C'erano notti in cui Katarína avrebbe voluto infilarsi nel letto di Dora per farsi stringere forte (quante ore passate così, a cercare il riparo dalle urla della madre) come faceva quando era più piccola. Ma Dora aveva iniziato a non tornare a casa.

La città puzzava in una maniera diversa. In passato Katarína era abituata a vedere figure barcollanti per strada, uomini e donne con naso e guance rossi, appoggiati con una mano al muro scrostato degli edifici anonimi. Sapeva distinguere l'odore del vomito della birra da quello del vino o del rum. I disperati bevevano rum e fumavano le Sparta. Ma ora si incontravano presenze nuove, fluide, ragazzi accovacciati per terra, senza espressione, con il petto nudo anche d'inverno e le braccia bucate. L'eroina era l'ospite d'onore del paese ex comunista, era una novità, una star.

Katarína di notte nascondeva la testa sotto la coperta e pregava che Dora tornasse a casa sana e salva.

17.

La prima volta che Viera era andata in Italia, si era comprata un paio di jeans nuovi perché quelli che aveva si erano allargati troppo. La D'Angelo portava cose attillate che facevano risaltare il suo fisico senza mai diventare volgare, forse in Italia si usava così. Anche i vestiti di Viera erano stretti, ma non seguivano così morbidamente le sue curve, i tessuti erano rigidi oppure si sformavano immediatamente. Le magliette erano sbiadite, con le scritte rovinate da lavaggi frequenti. Sul fondo della valigia aveva sistemato le scarpe da ginnastica, le ciabatte, gli scarponcini li avrebbe calzati in viaggio, aveva deciso. Aveva infilato sul fondo anche il dizionario italo-slovacco, non i due tomi che utilizzava all'università, ma quello più piccolo con cui aveva passato l'esame di maturità.

"Prendi l'ibuprofene," le aveva suggerito sua madre dallo stipite. Viera aveva annuito, le sue mestruazioni erano spesso dolorose. La madre era rimasta sulla porta a osservarla mentre metteva bagnoschiuma, shampoo e alcuni vasetti di creme in una busta di plastica. Era sparita per riapparire subito dopo con del detersivo in polvere per il bucato: "Tieni anche questo, così per un po' non spendi niente".

"Non credo che mi metterò subito a lavare."

"Ti serviranno le mutande."

Viera non voleva contraddirla, da qualche giorno sua madre le gironzolava attorno come in attesa, si preparava. Le aveva detto che dopo sei mesi sarebbe tornata anche se non ne era del tutto sicura, sperava di trovare lavoro per il periodo estivo. Andava avanti e indietro con la testa per non dimenticare niente, la valigia la trattava come se fosse un mini appartamento da abitare con poche cose indispensabili.

La sera prima della partenza sua madre le aveva dato ottocento euro, due interi stipendi. Viera l'aveva abbracciata e avevano pianto. La notte l'aveva passata sdraiata a letto a controllare l'ora sul telefono.

L'autobus era partito dalla stazione Mlynské Nivy. Oltre il vetro Viera guardava le strade di Bratislava srotolarsi sotto di lei. Stavano attraversando Petržalka con i suoi palazzi alti, lunghi e sbiaditi, tutti uguali. Per la prima volta si era permessa di pensare che li odiava. Si era girata dall'altro lato. La sua vicina si era arrotolata al collo una grossa sciarpa di lana, incrociando lo sguardo di Viera aveva detto: "Più tardi l'aria diventa gelida, le prime volte mi raffreddavo sempre". Era di Lučenec ed era diretta a Milano.

"Tu, dove vai?"

"A Verona."

Ho vinto una borsa di studio per i prossimi due anni, mi hanno dato anche una stanza in un residence, aveva pensato Viera e aveva sorriso.

La ragazza aveva aggrottato la fronte. "Prima stavo a Padova, ma tu lo parli il veneto?"

"No, ma ho studiato italiano all'università."

La vicina aveva fatto una smorfia e le aveva lanciato un'occhiata di pietà e disgusto.

Viera allora si era girata verso il finestrino dove Petržalka sputava i suoi ultimi caseggiati, un tripudio di grigiore. Imbruniva, si stavano avvicinando alla frontiera.

"Questo autobus fa poche soste," aveva aggiunto la vicina indicando l'autista. "Fumi?"

Viera aveva scosso la testa.

"Io in Italia ci vado dal '97, ci passo otto mesi all'anno."

"Come mai?" aveva chiesto Viera.

"Lavoro in un Holiday Inn: rifaccio i letti. Con quello che guadagno vorrei aprire una palestra da noi. Ancora due anni, credo."

Si erano fermati alla frontiera, tre uomini in divisa erano saliti sul pullman e avevano chiesto i passaporti. Avevano fatto scendere un uomo che indossava una tuta beige slabbrata. Viera li aveva osservati discutere sulla strada, l'uomo si era grattato il sedere, poi aveva alzato le spalle, i tre gli avevano restituito il passaporto, quindi era risalito a bordo con una espressione scocciata. L'autobus era ripartito.

"Sempre la stessa storia," aveva farfugliato la vicina, "ancora si credono chissà chi!"

Ce l'aveva con i doganieri. Viera si era girata per guardare il resto dei viaggiatori, erano stranamente silenziosi, muti.

Case singole in file ordinate, con giardini e cancelli bassi li accompagnavano lungo la strada. L'Austria pareva una tavola apparecchiata a festa, si erano finalmente lasciati alle spalle il trambusto di Bratislava.

Dopo un paio d'ore avevano parcheggiato in mezzo ad altri autobus. Alcune donne erano uscite con spazzolino e dentifricio in mano, altre tenevano borse o borsette sulle spalle.

"Venti minuti," aveva gridato l'autista mentre distribuiva il caffè della macchinetta per dieci corone.

Viera si era alzata e aveva dato due strattoni per estrarre lo zaino dallo scomparto in alto in cui lo aveva incastrato, poi aveva seguito le altre in bagno. All'interno la luce era forte, le porte gialle, gli specchi sopra i lavandini riflettevano la calca di colori, visi, capelli, occhi.

Quando era tornata, dentro il pullman faceva caldo e c'era puzza di piedi. Le lucette si accendevano e spegnevano sopra il chiacchiericcio dei passeggeri. La ragazza al suo fianco era scivolata giù, aveva alzato le ginocchia e le aveva appoggiate contro lo schienale del sedile davanti, emanava un forte odore di sigarette: "Ora sarà lunga".

Viera aveva adagiato lo zaino contro il finestrino gelido, ci aveva appoggiato la testa e aveva abbassato le palpebre. Il motore le vibrava dentro lo stomaco, nelle cosce, sulle guance, sulle piante dei piedi. La cullava, ma lei rimaneva in quello strano torpore della notte precedente.

Con Katarína si erano salutate la sera prima. L'amica non gliel'aveva reso facile: era fuori di sé, non voleva parlare. Viera sapeva il perché e avrebbe voluto stringerla e dirle che avrebbe preferito portarla con sé, che figata che sarebbe stata, loro due in Italia, da sole, a vivere, a studiare, a lavorare. Invece le aveva detto che si sentiva in colpa per aver vinto quella borsa di studio.

"Non è vero," aveva risposto Katarína decisa. Erano davanti a casa sua, Viera avrebbe preferito fare due passi, ma l'altra non staccava la schiena dalla porta.

"Allora io vado," aveva detto Viera alla fine, poi aveva sfiorato la guancia dell'amica con le labbra, sentendo il profumo che conosceva bene.

Quando aveva riaperto gli occhi, il motore frullava in modo diverso, le pareva più calmo, più regolare, il flusso d'aria fredda che le colpiva il viso aveva fatto sparire la puzza di piedi, oppure ci si era abituata.

Aveva guardato fuori, in alto una croce luminosa galleggiava nel nero del cielo, non si capiva se indicasse la cima di una montagna o il suo fianco. Alle cinque e mezza l'autobus si era fermato di nuovo. La sua vicina, con voce rauca, aveva sussurrato: "La colazione".

Dagli altoparlanti dell'autogrill una voce maschile cantava “sei la più bella del mondo”. Viera aveva alzato la testa, il volume era basso ma riusciva a distinguere le parole, erano in italiano. Con lo scontrino in mano si era spostata al bancone, osservava i gesti veloci con cui le preparavano il cappuccino.

“La brioche come la vuoi?” le aveva chiesto il ragazzo con il cappellino bianco, il coperchio della vetrinetta rialzato.

“*Al cioccolato*,” aveva risposto Viera. Le era sembrato di avere un accento sciocco, la sua voce aveva un suono diverso, come se provenisse da lontano e solo alla fine si ricongiungesse con lei. La brioche era calda e il cappuccino non sapeva di cannella come nei bar di Bratislava. Il calore dalla bocca le si diffondeva in tutto il corpo, come una promessa mantenuta.

La sua vicina era tornata con l’odore di sigarette addosso. Sorridendo, appena si erano sedute, le aveva chiesto se era pronta per la vita in Italia. Viera allora le aveva domandato com’erano gli italiani. La ragazza si era fatta più seria: “Siamo delle extracomunitarie per loro, ricordatelo. Vuol dire che siamo morte di fame, gli uomini appena lo scoprono credono di poterti scopare”.

Viera aveva riso: “Ma dai, è un cliché!”.

La ragazza aveva sbuffato: “Allungano le mani, te lo dico io, con noi pensano di poterci provare. E poi per loro una donna è solo quella roba lì”.

“E le italiane?”

La sua vicina aveva alzato gli occhi al cielo, aveva detto che in sei anni che veniva in Italia non aveva avuto una sola amica italiana, tutte straniere come lei.

“Come mai?”

La ragazza aveva sbattuto le palpebre: “Secondo me hanno qualche problema con la fiducia”. Si era arrotolata di nuovo nella sua grande sciarpa di lana e aveva chiuso gli occhi. Viera era rimasta a guardarle il profilo, le labbra serrate, la fronte corrugata. Si era chiesta cosa di quello che le aveva detto si sarebbe rivelato vero anche per lei. Non molto, pensava. La sua borsa di studio l'avrebbe elevata al di sopra delle ragazze che venivano a pulire gli alberghi, l'avrebbe distinta dalle badanti, dalle tate, dalle babysitter. Sperava che la conoscenza della lingua le avrebbe garantito un'accoglienza senza ostacoli. Mentre scrutava il nero oltre il finestrino, la brioche nello stomaco era diventata un piccolo grumo duro, Viera aveva inspirato piano per scioglierlo.

18.

Viera all'inizio vagava per i corridoi dell'università. Quando chiedeva informazioni riceveva risposte sbrigative, tutti parlavano velocemente, non era facile rimanere concentrata. A volte, seduta al banco lungo nell'aula, le venivano forti emicranie per la stanchezza. Era abituata a parlare in italiano, ma non sempre. A Bratislava la rendeva speciale, con Katarína lo usavano come un gioco. Le parole italiane avevano un suono morbido che si curvava sotto il palato, diventavano melodia, e a Viera piaceva. Ma qui era diverso. Qualche giorno dopo il suo arrivo era scesa in un piccolo alimentari sotto casa (per pranzo preparavano dei panini deliziosi, come avrebbe scoperto più tardi) e aveva chiesto del caffè solubile alla commessa, che le aveva risposto qualcosa. Viera era rimasta a guardarla interdetta, non aveva capito niente, niente! Con la lingua che aveva studiato per quasi dieci anni non riusciva a comprarsi un barattolo di caffè! La commessa allora aveva preso nelle mani due pacchetti, uno rosso e uno nero, e aveva scandito piano: "Vù to questo o questo?". Viera aveva indicato quello nero, aveva pagato ed era ritornata a casa. Il caffè lo aveva appoggiato sul tavolo, era il decaffeinato per la moka, la macchinetta a pressione che aveva visto per la prima volta a casa della professoressa.

Quello che Viera credeva sarebbe stato lo sbocciare della

storia d'amore fra lei e Barbara si era rivelato invece l'inizio di un precipizio. Barbara risultava irraggiungibile. Sì, le rispondeva al telefono, si scrivevano messaggi e mail, ma non si erano incontrate. "Non so quando ci possiamo vedere, forse il prossimo fine settimana," le diceva al telefono. Viera imprecava in slovacco nel buio della sua stanza. Sembrava che la distanza fra Parma e Verona fosse diventata l'elastico di una fionda e lei, costretta a rimanere immobile al centro di tutto quel tirare, stesse aspettando il rilascio.

Una mattina di marzo aveva ricevuto un messaggio: "Domani vado a Bratislava. Mi dispiace per com'è andata. B". Viera ascoltava la lezione, il professore di glottodidattica e di didattica italiana, in abito grigio con una sottile cravatta marrone, parlava appoggiato con i gomiti alla cattedra, aveva appena paragonato i segni verbali e non verbali ai nodi di una grande rete. Viera si sforzava di seguirlo, il professore usava termini come "cesoie", "soffietto", "fregi" per fare degli esempi, ma a lei quelle parole non dicevano niente, se le annotava, ma così facendo perdeva il filo del ragionamento. Scoraggiata si era abbandonata sulla sedia, in quel momento aveva ricevuto il messaggio. Lentamente si era alzata ed era uscita dall'aula, il professore sembrava deciso a ignorarla.

Nel corridoio si era imbattuta nella ragazza con cui condivideva la camera del residence, una tipa in carne che parlava come se avesse la bocca piena di krapfen. La coinquilina le aveva chiesto come stava e Viera, che aveva scambiato quella domanda di circostanza per un interesse reale, le aveva raccontato di Barbara singhiozzando. L'altra aveva spalancato gli occhi e balbettato qualcosa, sembrava scioccata come se Viera si fosse spogliata lì davanti alle macchinette del caffè. L'aveva salutata in fretta e se n'era andata.

Fuori, Viera si era seduta sul prato davanti alla mensa, era una giornata mite con il primo sole primaverile, era rimasta con le gambe allargate a stritolare l'erba fra le dita. Quello era il momento che più tardi avrebbe chiamato il punto zero, una specie di piccolo personale big bang. Barbara se ne tornava a Bratislava e lei sarebbe rimasta sola, in Italia. Solo lì aveva realizzato che quando parlava in italiano era come se parlasse da dietro una tenda, tutti potevano sentire la sua voce, ma nessuno avrebbe visto il suo volto. A parte Barbara.

Qualche settimana prima finalmente era venuta a trovarla, l'aveva trascinata per le strade del centro, con una voce entusiasta le aveva mostrato Castelvecchio, l'Arena, via Mazzini, Piazza delle Erbe con l'osso di una balena appeso sotto un arco. A Viera, per tutto il tempo di quella gita turistica, era sembrato di avere lei stessa un amo conficcato nel fianco. La camera era nell'albergo Antica Porta Leona, a quattrocento metri da quell'osso. Barbara sembrava agitata, controllava il telefono e prima di rientrare in albergo aveva preteso di mangiare in una trattoria. I camerieri del Pompiere, così si chiamava il posto, erano anziani e parlavano in dialetto. Viera non sapeva cosa scegliere, i piatti avevano nomi locali. Quando Barbara, spazientita, aveva ordinato il vino, Viera aveva puntato il dito a caso su una delle voci del menù. "Anche per me," aveva farfugliato l'altra. Avevano mangiato pasta e fagioli, era squisita, e a Barbara era tornato il sorriso, ma poi il suo telefono aveva cominciato a squillare e lei era uscita in strada per rispondere. Più tardi in albergo Barbara camminava come se misurasse la stanza, poi si era fermata: "Sai, qui ho una vita".

Viera aveva annuito, si era morsa il labbro per non chiedere il fastidioso "e io?". Aveva invece allungato una mano per attrarla a sé, ma lei si era divincolata: "Forse è meglio lasciar perdere, non pensi?". Era lì che era scattata, no, lei non lo pensava affatto, avrebbe preferito saperlo prima di venire in Italia che Barbara si vedeva con un'altra persona. Viera aveva spalancato le braccia nell'apprendere che era un uomo: "Perché non mi hai detto niente?".

"Non lo so, non era importante!" le aveva risposto Barbara con tono asciutto. Lei si era bloccata a guardarla. In che senso non era importante?

"Allora perché ci siamo viste?" Viera si era guardata attorno, la stanza era tinteggiata di lilla, con le tende e il copriletto viola.

"Sei stata tu a insistere," le aveva ricordato Barbara, e si era seduta sul divanetto di velluto di fronte al letto. Viera si era infilata il giubbotto e il berretto, aveva le mani gelide, si era toccata la faccia che invece scottava, aveva preso lo zaino e se l'era messo in spalla. Si muoveva come avvolta da una nebbia, piano, quasi che ogni spostamento brusco potesse mandarla contro uno spigolo, si era avvicinata alla porta e si era voltata. Barbara la guardava da quello stupido divanetto color porpora. I messaggi evasivi, le telefonate sbrigative ora finalmente acquisivano un senso. Non avrebbero passato la notte insieme, Barbara aveva prenotato la camera solo per sé. Viera avrebbe voluto sbattere la porta, ma il meccanismo a molla l'aveva accompagnata dolcemente fino alla chiusura delicata della serratura.

Viera si era alzata dal prato davanti alla mensa, le dita sporche d'erba, aveva provato a pulirle con un fazzoletto prima di rientrare in aula. Il professore ora camminava lungo il corridoio centrale fra i banchi. Le ultime file erano tutte occupate e lei aveva dovuto fare qualche passo in più per arrivare ai posti davanti. Il professor Malgari aveva di nuovo fatto finta di non vederla, forse era abituato al continuo viavai degli studenti. Era un uomo pelato, con le guance rosse e lo sguardo attento, si spostava sulle gambe minute, in netto contrasto con la faccia rotonda che a Viera ricordava un palloncino legato a una corda. Viera aveva preso il telefono, aveva cancellato il messaggio di Barbara e l'aveva spento, poi aveva riaperto il quaderno. Il professore le era passato vicino e lei aveva coperto con la mano il foglio mezzo vuoto con alcuni appunti scarabocchiati. Ma non era più riuscita a concentrarsi, aveva appoggiato la penna per seguirlo almeno con lo sguardo. Durante la prima lezione Malgari aveva detto che voleva studenti attivi, partecipi, quelli che quando chiedi qualcosa, loro rispondono, non delle presenze mute appollaiate sulle sedie, come Viera adesso. Dentro di lei era avvenuto una specie di *clic*, l'aveva sentito chiaramente, come uno schioccare di dita ma in testa. Sapeva cosa significava, non era la prima volta che le succedeva. Quando era troppo stanca o troppo scossa, ritornava alla madrelingua. Lo slovacco le mancava, lo parlava di notte, nei sogni, lo parlava quando telefonava a casa e con la voce entusiasta raccontava alla madre le sue giornate, omettendo tutti i momenti bui. Quasi senza accorgersene, aveva ripreso la penna e iniziato a scrivere con una tale foga che, quando aveva alzato la testa per un attimo, aveva incrociato lo sguardo compiaciuto del professore. Era tornata subito sul quaderno, il foglio ora si stava riempiendo al ritmo frenetico di parolacce, bestemmie e insulti in slovacco, le venivano bene, coloriti, volgari, pesanti, era così liberatorio.

In seguito, per preparare l'esame di glottodidattica e di didattica italiana aveva dovuto recuperare gli appunti di tutto il corso. Non si fidava delle cose che aveva annotato lei, e il professore aveva la fama di essere pignolo e di pretendere definizioni esatte. Il giorno dell'esame si era scambiata con una ragazza, non sapendo come funzionava l'appello si era iscritta tardi e il suo turno sarebbe stato solo il giorno successivo. La terrorizzava l'idea di tornare a casa con tutte quelle nozioni in mente, le sarebbe potuta esplodere la testa o avrebbe potuto dimenticarle. Quando si era seduta davanti alla faccia rotonda del professore Malgari gli aveva sorriso, ma lui l'aveva salutata impassibile e aveva subito iniziato con le domande (Mi può gentilmente esporre i principi di glottodidattica generale? Mi illustri l'Ipotesi Ambientale, il modello di Hymes. Quali sono gli aspetti psico-affettivi nell'apprendimento di una lingua? Le differenze fra lingua madre, lingua seconda e lingua straniera?). Man mano che Viera formulava le risposte, lo sguardo del professore si faceva più presente, le lasciava finire le frasi e le dava il tempo necessario per cercare i vocaboli appropriati. Viera parlava ad alta voce, con la schiena dritta, leggermente tesa in avanti: "...quindi l'impatto della seconda lingua sul discente si definisce shock culturale e...".

"Lei conferma?" l'aveva interrotta il professore.

Viera si era fermata per un attimo, era parsa smarrita, poi aveva annuito. Il professore aveva aperto il libretto e ci aveva scarabocchiato qualcosa. Le aveva chiesto da dove veniva e cosa le era piaciuto delle sue lezioni. Viera aveva detto che era di Bratislava e lui le aveva allungato il libretto, sorridendo.

"Ancora complimenti."

"Ipotesi Sapir-Whorf."

"Come?"

"Mi è piaciuto quando lei ha detto: 'il modo in cui si osserva il mondo è determinato totalmente o in parte dalla struttura della propria lingua madre'."

"La affascina la relatività linguistica, allora."

"Più che altro la vorrei smentire."

Il professore aveva sorriso divertito, Viera si era alzata e si era incamminata verso la porta, sicura di avere ancora il suo sguardo addosso, e non si sbagliava.

19.

Quando Eugen e Katarína erano stati invitati a cena da Lukáš, erano passate due settimane esatte dall'aborto. Avevano attraversato tutta Praga per arrivare a Dolní Chabry. Si erano fermati in fondo al paese, in una zona che confinava con il bosco, non si vedeva niente nel buio, poi una luce bianca si era accesa di scatto e aveva illuminato Lukáš sorridente sulla porta che faceva segno di entrare.

All'interno, lunghe assi di legno chiaro scorrevano sotto i piedi, un parquet grezzo ma caldo e un'enorme vetrata che lasciava intravedere delle piantine di pomodoro.

"Il mio orto in vaso, mi piace vederle nascere," aveva detto Lukáš intercettando lo sguardo di Katarína. Dopo essersi tolti le scarpe l'avevano seguito in soggiorno. Nel caminetto scoppiettava il fuoco, di fronte c'era un tappeto di lana dai colori sgargianti, in contrasto con il resto della stanza. Attorno quattro pouf, senza una forma precisa, parevano massi, ma morbidi. Katarína si era avvicinata al caminetto, aveva le mani fredde e aveva offerto i palmi al calore vivo del fuoco.

"Non vi dispiace se mangiamo qui, vero?" aveva chiesto Lukáš con due vassoi di bambù in mano, ne aveva dato uno a Katarína e uno a Eugen, poi era tornato a prendere il suo.

"Perché non compri un tavolo?" lo aveva stuzzicato Eugen.

"Se vuoi siediti sul pouf," Lukáš si era rivolto a Katarína, "io preferisco così." Aveva incrociato le gambe sul tappeto colorato, reggeva il vassoio all'altezza del petto, lei lo aveva imitato.

"Piadine con falafel di ceci e spinaci, avocado e panna acida al lime."

Katarína aveva assaggiato la piadina, la panna sgocciolava un po'. Alle spalle di Lukáš una libreria straripava di libri, aveva cercato di leggere i titoli, ma la luce non era abbastanza forte. Dopo aver finito si era sdraiata su uno dei pouf, a ogni movimento la massa sotto di lei si spostava, si adattava al suo corpo, era comodo.

Lukáš invece era rimasto per terra a fissare il fuoco, era diventato serio, Katarína lo aveva visto poche volte così. Era una di quelle persone che sorridono e fanno battute, allegre e appagate. Uno dei fortunati che gioiscono della pioggia e del cielo scuro, che parlano dei cicli della natura e del caso che non esiste, perché tutto è connesso e luminoso.

Sapeva da Eugen che proveniva da una famiglia di costruttori, ma lui aveva scelto tutt'altra strada: creava siti per il mondo della rete. Lukáš si era allungato verso il caminetto e aveva preso qualcosa in mano, sembrava un telecomando. Solo allora Katarína si era resa conto che non c'era la televisione. Lukáš aveva messo su una canzone che a lei aveva ricordato il liceo. Le mancava Viera, era difficile, la distanza che si era intromessa fra loro era una montagna sulla quale non aveva l'energia e il coraggio di arrampicarsi. Le erano venute le lacrime agli occhi e aveva visto Eugen sporgersi verso di lei allarmato. Aveva fatto un respiro profondo, sapeva per esperienza che il pianto perde la forza se gli si respira contro. Dopo, quando si era abbandonata su quel tessuto grigio, li aveva sentiti parlare sottovoce.

"Hai provato MySpace?"

"Non m'interessa."

Lukáš aveva scosso il braccio come a far scendere dei braccialetti invisibili sul polso: "Allora non hai capito niente. Queste piattaforme sono il futuro".

Eugen aveva alzato gli occhi al soffitto: "Spero proprio di no".

"A me sembri più un coltivatore che un nerd," aveva constatato Katarína.

"Magari!" Lukáš si era illuminato. "Ma il mio orto produce poco, prendo una cassetta una volta a settimana da una fattoria a pochi chilometri da qui, i frutti del suo orto hanno un sapore così intenso, a volte hanno delle forme improbabili ed è bello, capisci?"

"Comunque Katarína ha colto il problema, è quello che ti dico sempre: tu stai facendo finta di essere qualcuno che non sei," si era intromesso Eugen.

"Non capisco se l'incongruenza è mangiare verdura biologica e occuparsi di siti per la Škoda," aveva ribattuto secca Katarína a Eugen, lui si era toccato il mento, aveva la barba di qualche giorno, pareva nervoso.

Lukáš, di nuovo serio, era tornato a guardare il fuoco e dopo un po', senza distogliere lo sguardo dalle fiamme, aveva detto: "Ho letto su 'Lidové Noviny' che il farmaco, come che si chiama, il Viox, può causare ictus o infarto, lo prende anche mio padre per l'artrite, lo distribuite voi?".

Katarína aveva sbirciato suo marito, che aveva scosso la testa: "No".

"Ma com'è possibile? Non li testano i farmaci?"

"Adesso non iniziare a incolpare tutto il settore farmaceutico solo perché un'azienda ha omesso alcuni dati."

"Omesso alcuni dati? Ma ti senti quando parli? Dicono che per colpa di questa 'svista' sono morte più persone che nello tsunami del dicembre scorso!"

"Questo è tutto da provare. Il Viox è sicuro nel trattamento a breve termine, è dopo i diciotto mesi che dà problemi, doveva passare quel tempo per testarlo."

"Si dice che ne sia passato molto di più!"

"Non dovresti credere a tutto ciò che 'si dice'. Quel che è certo è che l'hanno subito ritirato dal commercio. Nel mondo reale queste cose succedono, non le puoi controllare come nella tua rete."

Eugen aveva fatto un gesto infastidito con la mano. Lukáš aveva afferrato un attizzatoio e lo aveva infilato nelle fiamme.

"Mi piace stare sul web, è come essere connesso con le piante... C'è una struttura e un'utilità e posso scegliere quale progetto seguire e quale no. Se pure mi pagassero di meno, mi andrebbe bene lo stesso."

"Perché hai il socialismo dentro," aveva detto Eugen sottovoce. Non sembrava un rimprovero, più una constatazione amichevole.

"Mio nonno è scomparso da un giorno all'altro, non aveva capito che bisognava stare nelle righe, oppure lo aveva capito ma non ci stava lo stesso. Io sono come lui, non mi puoi dare del comunista perché non sono convinto che ciò che viviamo ora sia il bene assoluto..."

"Non ho detto che è il bene assoluto..."

"Ma continui a difendere gli errori delle aziende e a spacciare quella roba!"

"Preferivi quando non c'erano le medicine? Quando sopravviveva il più forte?"

"Ora sopravvive il più ricco."

"Non siamo mica in America, le assicurazioni pagano una parte dei medicinali."

"Per ora," aveva detto Lukáš.

"Non capisco cosa vuoi, Lukáš, tu desideri il futuro ipertecnologico, ma poi boicotti ogni progresso. Devi scegliere da che parte stare."

Lukáš scuoteva piano la testa, pareva leggere qualcosa

scritto direttamente nel fuoco. “Esistono vie di mezzo,” aveva ribattuto.

Eugen si era abbandonato sul pouf. La canzone era finita, si sentiva solo il crepitio delle fiamme. Katarína le guardava, si muovevano a scatti, sagome di luce, poi aveva chiuso gli occhi e seguito i resti di quei movimenti sulle palpebre.

Tornando a casa in macchina, Eugen aveva appoggiato la mano sulla coscia di Katarína, lo faceva spesso mentre guidava, lei poi metteva la sua sulla gamba di lui. Era diventato un rito, una loro posizione per le brevi distanze (in quelle lunghe lei dormiva accucciata sul sedile, oppure con le gambe allungate sul cruscotto). Ora aveva le mani incrociate sulla pancia.

“Tutto bene?” le aveva chiesto Eugen.

Katarína era girata verso il finestrino, le luci del traffico diradate, se socchiudeva gli occhi vedeva solo macchie rosse,. gialle e arancioni. Dora le aveva risposto qualche giorno prima. Era l’unica a cui aveva scritto dell’aborto. “Credo sia successo anche a me, ma io avevo festeggiato, pensa!” Katarína non ne sapeva niente, quando era successo? Per la prima volta non le aveva risposto subito. Credeva che il suo dolore fosse unico, che aveva diritto a essere consolata, ma ovviamente aveva sbagliato a cercare il conforto in Dora. Un po’ come Lukáš che quella sera aveva parlato a Eugen di quel farmaco. Non si può chiedere ai forti di comprendere, non si siederanno mai al tuo fianco per ascoltare e basta, la loro forza è l’urgenza dell’azione, del movimento.

“Tutto bene?” aveva ripetuto Eugen.

Katarína era rimasta a guardare fuori, lui dopo un po’ aveva tolto la mano dalla sua gamba e l’aveva appoggiata sul volante.

20.

Il pomeriggio di Santo Stefano sono andati a vedere i presepi. “È nato *Ježiško*”, ha detto Olga alla bambina mentre le legava la sciarpa intorno al collo. Magdalénka spostava il peso da un piede all’altro, con il guanto ha stretto la mano di Katarína. Fra qualche mese sarebbe diventata la sorella maggiore e forse Olga glielo voleva ricordare. Dora se n’era andata in America sette anni prima e non era più tornata. Katarína ormai sapeva così poco di sua sorella. Ha stretto la mano di Magdalénka e sono uscite fuori.

La neve c’era ancora, ma sembrava spossata, non più soffice né bianca, una massa pesante e umida. Olga e Jojo erano dietro di loro, a Katarína è sembrato che parlassero a voce bassa per non farsi sentire. Jojo aveva parcheggiato l’auto lungo il Danubio, hanno dovuto camminare un po’ per arrivare in centro.

Nella chiesa dei Francescani si sono messi in fila per vedere il presepe. Era costruito su tre piani, una luce soffusa illuminava il paesaggio con una cascata e vari personaggi. A Magdalénka piacevano soprattutto le pecore, Katarína doveva contarle ad alta voce e poi indovinare quale fosse la sua preferita. Per suo padre la preferita era sempre stata Dora, Katarína non aveva dubbi. Da quando se n’era andata, una parte di lui, quella più gioiosa, più sorridente, aveva smesso di esistere. Ma, per quanto ne sapeva, non l'aveva mai cercata, forse non osava farlo. Dora scriveva solo a lei, ogni tanto qualche frase di augurio a Jojo: per il matrimonio, per la nascita di Magdalénka. La madre, da quando la figlia non c'era, non la nominava, e Jozef si era adeguato, come sempre.

Sono entrati in un caffè e hanno preso una cioccolata calda alla bambina, Olga la aiutava per evitare che si sporcasse, Jojo giocava con un fazzoletto.

"Sai già cosa vuoi fare?" ha chiesto a Katarína.

Lei lo ha fissato: fuori casa era un altro, la faccia più rilassata, lo sguardo sincero. "Dici per il Capodanno," ha domandato chinando la testa di lato come quando da piccola lo sfidava a dama, "o con il matrimonio?"

Magdalénka ha urtato il tavolo e un po' della cioccolata è caduta fuori dalla tazza, Jojo l'ha asciugata con il fazzoletto.

"Non è un buon periodo nemmeno per lui."

"Un buon periodo per Eugen?"

"Ci sono state delle manifestazioni contro le case farmaceutiche, del caso Viox si parla ancora."

Katarína ci ha messo un po' per capire a cosa si riferiva suo fratello.

"Ma davvero mi stai parlando di quel farmaco? Eugen cosa c'entra? Non lo distribuivano loro."

"Il dibattito pubblico si è allargato a tutto il settore farmaceutico, chiedono la garanzia di una reale efficacia terapeutica dei farmaci. Hanno anche intervistato il padre di Eugen, l'ho visto in tv."

"Robert? Quando?"

"A novembre mi sa."

A novembre Eugen non stava più a casa.

"Non mi va di parlare di questo," Katarína ha girato la testa verso la finestra.

"A volte sei proprio come Dora."

Lo ha fissato di nuovo, lui le ha restituito lo sguardo.

"Giovedì parto, alla fine andiamo a Bologna."

"Ma Viera non stava a Verona?" ha chiesto Olga mentre strofinava la bocca di Magdalénka, i contorni delle labbra sembravano disegnati con una matita marrone.

"Perché a Bologna?" ha domandato anche Jojo.

"Si è trasferita lì, fa l'accompagnatrice turistica… In realtà anch'io l'ho saputo stamattina, quando abbiamo comprato i biglietti."

"Sei sicura di voler partire? E il tuo matrimonio?"

"Non sono stata io ad andarmene," Katarína ha alzato la voce e alcune persone nel caffè si sono girate, "e comunque non è che se rimango qui per Capodanno cambia qualcosa."

"No, ma forse se tornassi a Praga…"

"Hai parlato con Eugen!"

"Mi ha telefonato lui."

Katarína ha fatto un lungo respiro: "Quando?".

"Ieri sera, ci siamo scambiati gli auguri, è stato molto veloce, vero Olga?"

Sua moglie ha annuito.

"Lui ci tiene, Katka," ha detto Jojo sottovoce.

"Ci tiene talmente che ormai lo vedono ovunque con quella ragazza! Questo non te l'ha detto al telefono?" Poi Katarína si è alzata di scatto: "Andiamo?".

"Sì!" ha gridato Magdalénka felice, aveva le guance più rosse del solito.

Hanno proseguito fino alla chiesa Blu, sono passati davanti alla casa dove viveva la D'Angelo. Le finestre erano buie e Katarína si è domandata se la professoressa avesse già traslocato. Jojo per strada sembrava nervoso, camminava sbattendo i talloni. Quando lo faceva da piccolo, Dora lo imitava e lui le diceva sempre di smettere.

Al mattino Katarína aveva trovato una sua mail, Dora a Washington l'aveva inviata sei minuti dopo la mezzanotte. Katarína faceva sempre il conteggio delle ore, si immaginava Dora mentre le scriveva dal letto prima di addormentarsi. Avrebbe voluto dirlo a Jojo, ma poi erano usciti e le era passata la voglia. All'inizio non nominavano Dora perché la aspettavano, dopo tre mesi sarebbe dovuta tornare, dal momento che le scadeva il visto. Ma Dora aveva continuato a lavorare al Dunkin' Donuts di Rockville, in nero. Qui ci sono abituati, scriveva, sei come uno schiavo, non ti puoi ammalare, né lamentare, ti tollerano e ti pagano, ma devi essere felice.

Anche l'email ricevuta quella mattina era breve, come tutte le altre. Sono nella casa nuova, ho lasciato Ian, le aveva scritto. Stava con Ian da sei anni, lui l'aveva investita con la moto, si erano conosciuti così, un urto gentile, lo aveva definito lei. Ho lasciato Ian. Quelle parole l'avevano turbata. Dora era stata capace di salire su quel pullman sette anni prima per poi imbarcarsi su un aereo per gli Stati Uniti. Katarína l'aveva ammirata e odiata per il suo coraggio, per la determinazione di andare fino in fondo. Per il saper lasciare. Katarína si era portata la mano allo stomaco: il filo tra lei e sua sorella, che negli ultimi anni sembrava essersi allentato, ora tirava di nuovo. Le sembrava di vedere Dora camminare in una stanza buia, si muoveva a scatti, si fermava e poi riprendeva, quindi l'immagine spariva di nuovo. Avrebbe voluto prendere quel nodo che sentiva nella pancia e dargli uno strattone, un altro e un altro, finché sua sorella non fosse stata di nuovo davanti a lei, trasportata controvoglia da quelle scosse.

Katarína era rimasta a fissare lo schermo, Dora le augurava un Natale comunque sereno, le dispiaceva per Eugen. Chissà se le avrebbe scritto di Ian se lei non avesse accennato alla rottura con suo marito? Poi un'ultima frase: mi manchi, sorellina. Sapeva che nemmeno questa volta le avrebbe risposto subito.

21.

Il monolocale era in centro a Bologna, dietro piazza Maggiore. Si entrava in un'unica stanza con l'angolo cottura, il letto, il bagno e il balcone. Il posto avrebbe potuto essere soffocante, ma non lo era. Sembrava un nido moderno, essenziale e snello, come Viera. Dal balcone non si vedeva la strada, solo una distesa infinita di tetti.

Quando sono arrivate, il termometro in casa segnava quattordici gradi. Viera aveva acceso il riscaldamento e preparato una tisana. Dall'esterno la luce, troppo intensa per il 30 dicembre, entrava attraverso la porta a vetri del terrazzino.

"Ti piace?" le ha chiesto Viera.

Katarína ha annuito.

Viera ha sorriso, poi ha bevuto un sorso di tisana: "Bologna mi ricorda Bratislava".

Ha pronunciato il nome della loro città natale come fanno gli stranieri: con la t che rimane invariata, non addolcita dalla vocale che la segue.

"Alcune stradine del centro soprattutto, a volte mi confondo, è come se camminassi su due piani della stessa realtà, mi piace." L'ha detto in italiano, come se ormai non pensasse più nella loro lingua, Katarína l'aveva notato già a Bratislava, quando si erano viste al bar. Pareva che per lei fosse lo slovacco la lingua straniera.

"È per questo che ti sei trasferita?" le ha chiesto.

"No, ho vinto il concorso."

Viera l'ha detto con quel suo fare indifferente, come quando avevano saputo il punteggio dopo gli esami d'ammissione alla facoltà di romanistica a Bratislava, era arrivata prima e non ne sembrava affatto sorpresa.

"All'inizio è stata dura abituarsi." Viera ha alzato la tazza per bere, ma poi si è fermata con le dita affusolate attorno alla ceramica bianca. "Lo sapevi che per ordinare due etti di prosciutto devi prendere un numero al banco dei salumi? E alla posta ti devi ricordare chi è prima di te? Le cose semplici diventano complicate, se non sai come muoverti." Viera ha bevuto un sorso a occhi chiusi, poi ha proseguito: una volta finito il Corso di Alta formazione a Verona le serviva qualcos'altro, negli ultimi mesi lavorava come comparsa all'Arena.

"Sono alta, da lontano non si vede la faccia, ma la figura sì. Mi avevano scelta per quello, credo. Solo delle coreografie semplici. Ci andavo quasi tutte le sere, come comparsa ero in tutte le opere. Di giorno dormivo, di notte mi spostavo sul palco, guadagnavo bene, spendevo poco. C'era pure una ragazza che mi piaceva, ogni tanto veniva al residence. Ne approfittavo quando la mia coinquilina tornava a casa, a lei dava fastidio che mi portavo in stanza qualcuno, *ježiš*, è più giovane di noi ma così bigotta! Tre mesi fa, una notte dopo lo spettacolo, all'uscita dell'Arena, ho trovato Barbara ad aspettarmi. Non ci vedevamo da più di due anni."

L'aveva cercata al residence e la coinquilina di Viera, un po' imbronciata, le aveva detto dell'Arena. Quando Viera era sbucata in piazza Bra, Barbara le aveva proposto un cocktail, il bar dove erano andate non era né alla moda né romantico, una scelta strana per la professoressa, e Viera aveva potuto osservarla meglio. Sembrava stanca, teneva le palpebre basse come chi soffre di emicranie pesanti. Viera non era stata sorpresa quando Barbara le aveva proposto di salire in albergo. Aveva preso una stanza all'ultimo piano di un palazzo in via Mazzini, dalla strada arrivava il vociare allegro delle prime notti di settembre.

Il corpo di Barbara invece era quello di sempre, qualsiasi cosa le fosse successo, non aveva lasciato segni sulle cosce, sui seni, sulla pancia. Viera l'aveva spogliata come aveva fatto la prima volta a Bratislava, la accarezzava piano dal collo fino alle braccia, lungo i fianchi, evitava tutte le zone sensibili, le evitava appositamente, con dolcezza. Barbara sospirava, gli occhi socchiusi. C'era qualcosa di diverso nel loro stare insieme. Viera si era fermata, ma l'altra le aveva preso la mano e se l'era spinta fra le cosce. Quel contatto caldo le era piaciuto, si era chinata e l'aveva baciata a lungo come faceva una volta. Più tardi, con la testa appoggiata sulla pancia di Barbara, Viera si lasciava cullare dal suo respiro. Barbara le aveva raccontato del suo uomo, ora convivevano ma non andavano più d'accordo.

"Non mi devi parlare per forza male di lui."

Viera si era rivestita e si era affacciata alla finestra. Verona era viva, il flusso nelle strade si spostava senza la frenesia del giorno. Barbara le aveva detto che le era mancata e che era felice ogni volta che Viera rispondeva ai suoi messaggi. Ultimamente aveva ripreso a scriverle spesso.

"Non so, sembrava smarrita, capisci?"

"La D'Angelo?" ha chiesto Katarína, sdraiandosi sul letto accanto all'amica.

Viera ha sorriso: "Mi fai impazzire che la chiami ancora così". Ha alzato le gambe e le ha appoggiate contro il soffitto inclinato. Sono veramente lunghe, ha pensato Katarína.

Viera poi era uscita dalla stanza, aveva detto a Barbara di non scriverle più e di non chiamarla. Invece di andare al residence, era tornata all'Arena. Era chiusa, le scenografie dell'*Aida* ingombravano piazza Bra. Le era passato a fianco un uomo in giacca e cravatta che le aveva ricordato il professor Malgari. Prima di congedarsi da lei, dopo la discussione della tesi, le aveva consigliato un concorso per accompagnatori turistici, ma il bando si riferiva a Bologna, si sarebbe dovuta spostare, aveva aggiunto. Viera non aveva preso in considerazione la cosa fino a quella notte. Aveva alzato un braccio e indicato l'Arena a un gruppo di turisti immaginari. Qualcuno in lontananza aveva riso, ma lei era rimasta così, la Statua della Libertà.

"Il giorno dopo ho trovato il sito del concorso di Bologna e mi sono iscritta."

Katarína si è girata sul fianco e si è grattata la nuca, Viera le ha sfiorato la guancia.

"Io fuori da qui non parlo più lo slovacco." Era un avvertimento, le chiariva le regole. Dopo un po', con gli occhi chiusi come se lo dicesse a sé stessa, ha raccontato: "I miei genitori non hanno mai parlato la stessa lingua, non solo a me, anche fra di loro, una lingua comune. Ho imparato subito a distinguere lo slovacco dal ceco, stavo attenta a non mescolare le due lingue, se storpiavo una delle due, uno si divertiva, l'altro se la prendeva".

Katarína ha trattenuto il respiro, non sapeva niente sulla vita di Viera di prima, quando suo padre c'era ed erano una famiglia. L'aveva conosciuta già con i presagi di separazione addosso.

"Se camminavo per strada con mio padre diventavo una ceca, se era mia madre a tenermi per mano, ero slovacca, almeno per il mondo attorno a noi. La lingua ti etichetta subito. Non voglio più sembrare una straniera."

Il padre di Katarína le ripeteva sempre che gli slovacchi hanno avuto i confini che delimitavano la loro terra solo con la nascita della Cecoslovacchia. Prima l'idea dell'identità nazionale era un progetto dei colti, dei letterati studiosi, mentre i contadini massacrati dal lavoro sui campi di giorno e dal demone dell'alcol di notte, uomini e donne insieme, non sapevano di averne una. Parlavano tedesco, ungherese, ceco e slovacco nell'impero austro-ungarico, cosa definiva chi erano?

"Ho perso la lingua di mio padre quando se n'è andato, posso lasciarmi dietro anche quella di mia madre," ha sussurrato Viera come a rispondere ai pensieri di Katarína, poi si è girata di schiena, "e io ho scelto la mia."

Katarína è rimasta a guardare le spalle dell'amica ancora a lungo. Quando finalmente è riuscita a chiudere le palpebre ha rivisto Dora, sua sorella si tirava le guance come per allargare la bocca, era buffa e inquietante allo stesso tempo. Poi Katarína è scivolata nel sonno.

Più tardi sono uscite, Viera aveva un appuntamento con un piccolo gruppo di turisti.

"Sono pugliesi," ha detto mentre li raggiungevano in piazza Maggiore. Katarína ha annuito non capendo. Al liceo avevano studiato le regioni italiane e le caratteristiche che le distinguevano, ma Viera l'ha detto come un messaggio in codice. Erano soltanto in sei, tre ragazzi e tre ragazze. Le sono sembrati sorridenti, rumorosi e giovani. Viera l'ha presentata come una sua collega e il gruppo l'ha inclusa subito, due volte le hanno chiesto delle date ma Viera è intervenuta immediatamente. Sapeva tutto, era ancora fresca del concorso.

"Ora vi porto a vedere il palazzo più bello di Bologna," ha detto girandosi verso Katarína, e pareva una dedica solo per lei. Era così gratificante essere al centro della sua attenzione. Katarína quel suo modo di fare l'aveva quasi scordato.

"L'Archiginnasio," ha esclamato Viera in un cortile circondato da portici con arcate decorate da centinaia di stemmi, "dal 1563 l'unica sede dell'università per volere del cardinale Carlo Borromeo, il Legato pontificio di Bologna..."

Katarína vagava con lo sguardo per il cortile, il palazzo, le ampie vetrate del piano superiore. Si è staccata dal gruppo, un leggero capogiro l'ha fatta accovacciare per terra, e anche i sampietrini le sono sembrati lucidi e belli. I ragazzi pugliesi ora scattavano le foto e Viera è andata da lei.

"Sono delle coppie?" ha chiesto Katarína. Viera ha scrutato l'amica, poi ha scosso la testa: "Non credo, festeggeranno il Capodanno qui, secondo me hanno prenotato la visita come scusa per venire a sballarsi a Bologna".

"Ma quanti anni hanno?"

"Due o tre meno di noi, forse, difficile a dirsi, gli italiani sono tutti giovani, sempre."

"Io alla loro età mi sono sposata."

"Parli come mia madre."

Si sono guardate. Viera aveva incontrato Eugen quasi un anno dopo il loro matrimonio. Era estate, Katarína ed Eugen avevano scelto di passare qualche giorno a casa a Bratislava, e anche Viera si trovava lì. Una sera avevano bevuto e Viera, brilla, aveva raccontato la storia di suo padre a Eugen. Lui l'ascoltava con interesse e forse anche con un pizzico di imbarazzo. Era attraente e solido. Nel vederli così, Katarína aveva avuto un moto di soddisfazione. Le era sembrata una conferma delle sue scelte. Anche se era strano rivedere l'amica ubriaca, non succedeva da anni.

Nel cortile dell'Archiginnasio la voce sicura di Viera riecheggiava, le ha fatto segno di muoversi, Katarína si è accodata al gruppo ormai in movimento verso la piazza. Uno dei ragazzi, un tipo magrolino con i capelli neri e ricci, l'ha aspettata.

"Hai fame?"

"Mangerei volentieri i tortellini, quelli veri," ha risposto Katarína.

Lui ha sbattuto le palpebre più volte, aveva le ciglia così nere che gli occhi sembravano ripassati con la matita. Ha continuato a guardarla, perciò lei ha aggiunto: "In realtà sono indecisa fra i tortellini e le lasagne".

"Puoi assaggiarli entrambi," ha detto lui come se fosse una cosa ovvia. Katarína ha trattenuto una risata nervosa, lei non avrebbe mai pensato di poter ordinare entrambi i piatti solo per provare, Eugen sì.

"Conosco io il posto giusto," il ragazzo ha strizzato l'occhio e ha chiamato Viera, che camminava qualche metro davanti a loro. La trattoria era in centro, Viera ne aveva sentito parlare.

Dopo un po' erano tutti seduti a un lungo tavolo con la tovaglia rossa a quadretti. Michele, il ragazzo con i ricci, ha versato il vino a Katarína. "C'era un tempo in cui pensavo di venire qui a studiare al Dams." Katarína non sapeva cosa fosse il Dams, ma si vergognava a chiederlo. Forse era anche questo che intendeva Viera quando diceva che non voleva essere una straniera? Quando, nonostante la conoscenza quasi perfetta della lingua, non capisci? Un'eterna intrusa. D'un tratto, a Katarína la sua vita a Praga è sembrata una corsa facilitata, un percorso sì accidentato, ma sicuro.

Alla fine ha scelto le lasagne verdi e Michele le ha fatto assaggiare i tortellini. Katarína si è sorpresa a vederli galleggiare nel brodo, se li era immaginati con la panna o con il burro o anche al sugo, mai li avrebbe sprecati in quel modo, ha pensato. E invece erano buonissimi.

22.

La sera prima della partenza per Bologna, Jozef era entrato nella stanza di Katarína.

Lei stava infilando le magliette nello zaino, le rollava come sigarette con troppo tabacco. Suo padre le aveva sorriso, si era guardato attorno come se quella camera non facesse parte della casa. Continuava a chiamarla "la stanza delle ragazze" anche se Dora non ci dormiva più. Era rimasto in piedi, con la schiena leggermente curva e le braccia lungo i fianchi.

Quando Katarína era piccola, il Primo Maggio la portava in corteo. Le dava una bandierina rossa con la falce e il martello e una della Repubblica con la striscia rossa e bianca e con il fazzoletto blu. Una volta le aveva spiegato che le strisce derivavano dall'antico stemma ceco, e il triangolo blu rappresentava i Monti Tatra. Katarína scuoteva le bandierine con forza, saltellava vicino alle sue gambe e scandiva insieme agli altri: "Evviva il Primo Maggio!". Quando c'era troppa calca, lui la prendeva in braccio e se la metteva sulle spalle, lì lei era felice, nuotava in tutto quel palpitare rosso, bianco e blu e cantava a squarciagola: "*Hej, hor sa sveta, proletári*". Suo padre la teneva per gli stinchi, a volte li stringeva troppo e allora lei gli dava dei colpi sul torace. Di fronte alla tribuna si rallentava, bisognava salutare gli uomini sul podio con la mano o con la bandierina e poi si proseguiva. Suo padre non sorrideva mai mentre salutava, e Katarína all'epoca pensava che fosse così perché era adulto. Alla fine la metteva giù, compravano lo zucchero filato e le faceva fare un giro sul calcinculo.

Da quando non era più comodo portare Katarína sulla schiena, Jozef le parlava ancora meno. Ora stava impacciato nella sua vecchia camera, guardava lo zaino ormai colmo di vestiti.

"Sei sicura di voler partire?" le aveva chiesto piano.

"Ti ha mandato lei?" aveva sbuffato Katarína, ma lui aveva scosso la testa.

"Sta dormendo."

La madre soffriva d'insonnia e, quando riusciva a addormentarsi presto, a nessuno e per nessun motivo era permesso svegliarla. Non che loro in quel momento avessero voglia di farlo.

"Vieni," aveva detto Jozef, e Katarína lo aveva seguito in cucina. Il padre aveva preparato sul tavolo una bottiglia di champagne e due calici.

"Voglio brindare con te all'anno nuovo."

Erano le undici di sera del 29 dicembre, Katarína aveva guardato suo padre, poi la bottiglia appena aperta.

"Lo so," aveva detto lui, "ma ho visto tua madre prendere sonno, tu domani parti e quando torni sarà un altro anno, qualsiasi cosa questo significhi. Vorrei solo..."

Katarína si era seduta sulla panca vicino a lui. Avevano brindato, ma piano.

Jozef aveva ripetuto la domanda: "Sei sicura di voler partire?".

Lei aveva annuito.

"Ogni volta che rimango qui da solo con tua madre, mi sembra di subire una trasformazione, come se mi stessi disintegrando. C'è un vuoto attorno a noi, tua madre lo riempie con le parole, lo sopporta meglio così, con le parole urlate. Grida perché quel vuoto è spaventoso."

Katarína aveva fissato suo padre. Non le aveva parlato mai in quel modo, mai. Finché era piccola era troppo piccola, e una volta cresciuta, be', ormai era cresciuta. Non c'erano connessioni fra i due mondi, se non nei rari momenti fatti da segnali invisibili, gesti sopravvissuti all'infanzia. "Stai bene con i capelli più corti," aveva detto lui, gli angoli della bocca leggermente in su, un sorriso timido.

"Pensavo che non l'avessi notato."

"Impossibile non notarti."

Suo padre aveva versato lo champagne nei bicchieri e avevano brindato di nuovo. Katarína aveva sentito il solletico nella bocca, il padre aveva chiuso gli occhi e spostava leggermente la testa da destra a sinistra, sembrava dire "no no" a qualcuno, ma in modo gentile, quasi scherzoso. Così lei aveva preso un lungo respiro e gliel'aveva confessato.

Lui aveva sbattuto le palpebre più volte. A Katarína era venuto il dubbio che forse suo padre poi tutta questa confidenza non l'avrebbe voluta, ma ormai era troppo tardi. Si era girato verso di lei, sbiancato, come se il sangue del viso si fosse d'un colpo precipitato nei piedi.

"Ed Eugen?" aveva chiesto soltanto.

Katarína non aveva risposto, teneva lo sguardo fisso sul bicchiere.

"Ne avete parlato, dopo?"

Lei aveva scosso la testa. "Non sono riuscita a dirgli molto."

"Magari ti avrebbe capita, invece," aveva detto dopo un po' Jozef. Aveva appoggiato la mano sulla sua in cui teneva il bicchiere, tutto in lui pesava ora.

"Ho il potere di perdere tutto ciò che conta," aveva detto con un filo di voce Katarína.

"Perché dici così?"

"Sono stata io ad accompagnare Dora alla stazione."

"Tua sorella sarebbe partita anche se tu non l'avessi accompagnata."

"Avrei potuto fermarla."

Suo padre si era curvato di più, la testa sopra il bicchiere vuoto.

"Ma Eugen non è venuto con te all'ospedale?"

Katarína aveva versato altro champagne e aveva spinto il calice verso di lui.

"No, era a Londra."

Lo aveva quasi sussurrato, si odiava per ciò che stava per dirgli, ma non riusciva a smettere. C'era una determinazione dentro di lei, forse il filo di Dora che tirava, chiedeva di dire di più.

Suo padre aveva rovesciato un po' di champagne sul tavolo, si era alzato e aveva preso un paio di fazzoletti di carta per asciugarlo. Poi si era seduto di nuovo vicino a lei.

"Li ho visti una settimana prima di Natale in un ristorante dove andavamo sempre noi. Ho pensato che i primi a sapere che lui aveva un'altra relazione sono stati i camerieri di quel posto. Lui mi ha vista e io mi sono messa a correre, più correvo e più mi odiavo. Sono fuggita come quando scappavo di casa quelle mattine in cui Dora e mamma litigavano."

Suo padre le aveva stretto la spalla con una mano e Katarína era scoppiata a piangere.

"Quando ero piccola credevo di essere una sorella cattiva," aveva detto fra un singhiozzo e l'altro.

"Non sei cattiva, *dušička moja*, piccola anima mia."

A Katarína, scossa dai brividi, le lacrime scendevano fino al collo. Suo padre le aveva passato un fazzoletto e lei si era pulita il naso. La stringeva forte. Piccole scariche elettriche le scorrevano lungo le braccia, le cosce, si era grattata la nuca e suo padre la lasciava fare.

"Ho continuato a correre fino alla metro. Nella testa vedevo le immagini di loro due insieme, dettagliate. Non sono arrivata all'appartamento, mi sono fermata sulle scale e poi mi sono seduta su quella rampa che puzzava di marcio. Avrei dovuto capirlo prima."

Aveva abbassato la mano e i polpastrelli erano rossi di sangue. Suo padre aveva tentato di pulirli con il fazzoletto bagnato di champagne.

"Non è colpa tua," aveva sussurrato soltanto.

23.

Ha capito subito di aver sbagliato a vestirsi. La sera di Capodanno nel ristorante gli uomini la divoravano con gli occhi nel suo abito rosso attillato e anche le donne si giravano: che fisico stupendo, peccato per gli scarponcini! Lei e Viera sono sedute con i ragazzi pugliesi a un tavolo rotondo in mezzo agli altri addobbati nello stesso modo. Michele, la sera prima, aveva chiamato suo zio che lavorava nel ristorante Garganelli per aggiungere due posti. Semplice. Katarína avrebbe voluto alzarsi e andarsene, ma Viera le aveva stretto la coscia sotto il tavolo e le aveva sussurrato che era bellissima e che le altre donne erano solo invidiose. Viera portava un paio di jeans e un largo maglione a righe, si erano truccate a vicenda nel minuscolo bagno del suo appartamento. Katarína aveva pensato che quel momento lo avrebbe desiderato anche per il suo matrimonio. L'amica, come se avesse sentito, si era fermata, la mano le tremava leggermente e aveva detto: "Mi dispiace di non esserci stata, *moja*". L'aveva detto piano e a Katarína si erano riempiti gli occhi di lacrime. Anche perché "*moja*", "mia", l'aveva detto in slovacco, come una volta. Poi Viera aveva strillato: "Eh no, così mi rovini tutto!". Erano scoppiate a ridere. Katarína piangeva e rideva insieme e Viera l'aveva abbracciata. Dopo le aveva ripulito la faccia e aveva ricominciato da capo.

"Ma le hai guardate?"

Le donne nel ristorante, a Katarína, sono sembrate tutte eleganti, impeccabili. Ha sbirciato meglio le ragazze con cui condividevano il tavolo. Una con la pancia che mentre era seduta le creava una gobba morbida davanti e l'altra bassa, con le braccia e le gambe tozze e corte. Ma entrambe sporgevano il mento in su, giravano la testa piano mentre i capelli accompagnavano quel movimento lento e maestoso con una piccola onda, sembravano molto sicure di sé, importanti. La terza, Noemi, indossava un vestitino corto a fiori un po' troppo leggero per la stagione.

I camerieri hanno iniziato a servire il cibo. Katarína leggeva il menù, un pezzo di carta piegato in due appoggiato su ogni piatto. C'erano diverse portate. Michele, che era seduto al suo fianco, ne ha snobbate un paio, poi le ha detto che se fosse capitata in Puglia le avrebbe mostrato cosa significava *veramente* il cenone di Capodanno, nonostante il lavoro diligente dello zio. Il fratello minore di suo padre, magro e moro come il nipote, li aveva accolti in sala indicando il loro tavolo come aveva fatto con gli altri ospiti, solo alla fine gli aveva strizzato l'occhio. Lo stesso gesto di Michele, ha pensato Katarína.

Dall'altra parte della sala suonava una band. Nessuno sembrava badare ai musicisti, avrebbe potuto esserci una radio, una semplice cassa, l'effetto sarebbe stato probabilmente lo stesso. Ma ciò che ha veramente stupito Katarína era che il gruppo suonava cover di hit e non proprie canzoni. Così mentre cercava di mandare giù un piatto dopo l'altro, le pareva che le passassero accanto Sting, The Cure, Prince e cantanti italiani di cui ignorava i nomi.

"Anche io ho suonato a delle serate di Capodanno, si guadagna bene... ma devi far pace con il repertorio."

Michele ne sapeva un po', si riteneva un bassista.

"In Italia tutti suonano o cantano," ha aggiunto. Le è

parsa un'esagerazione, ma durante la serata ha dovuto ricredersi. Dopo aver finalmente concluso la cena e dopo il countdown di mezzanotte, gli ospiti del ristorante andavano a chiedere ai musicisti un brano da cantare. Un karaoke dal vivo. Il leader della band acconsentiva sorridente, gli occhi stanchi, disillusi.

Viera, dopo la rassicurazione di inizio serata, non la guardava più. Parlava fitto all'orecchio di Noemi. Ogni tanto esplodevano a ridere. Katarína ha cercato allora di seguire la conversazione al tavolo, ma non è stato facile, le è sembrato come se tutti parlassero contemporaneamente e chi alzava la voce veniva ascoltato di più, Michele soprattutto prendeva la parola sovrastando gli altri. Katarína osservava Viera, ma la sua amica, rilassata sullo schienale della sedia, era chinata verso i fiorellini leggeri del vestito di Noemi e sembrava a suo agio.

Più tardi è arrivato un dj, la pista si è riempita di persone a ritmo di bassi monotoni. Quel suono profondo entrava nel petto e costringeva il cuore a un battito innaturale. Viera ha voluto ballare e ha tirato su la ragazza per mano. Anche Katarína si è alzata spingendo in dentro la pancia che le era cresciuta nell'arco della serata. Gli scarponcini le pesavano e avrebbe voluto toglierseli. Viera sulla pista le lanciava occhiate mentre attirava a sé Noemi. Katarína si è fatta versare il vino più volte, Michele ne era felice e la guardava come se da un momento all'altro dovesse svenire tra le sue braccia. Era anche l'unico a darle attenzione, gli altri due ragazzi, dopo averla fissata appena era comparsa nel ristorante, non la prendevano più troppo in considerazione. Dopo l'ennesima canzone si è piegata sotto la sedia e ha preso un pacchetto dalla borsa, poi ha raggiunto Viera sulla pista.

"Ho una cosa per te," le ha detto in slovacco.

"A-ha," ha detto l'amica ma non ha smesso di muoversi. Katarína è rimasta a fissarla, Viera allora ha chiesto a Noemi di aspettarla e quella è andata a sedersi obbediente. Katarína non capiva come, ma Viera otteneva dalle persone ciò che voleva. Anche lei forse era venuta fin lì perché gliel'aveva chiesto? Era così difficile stabilire dove finiva la volontà di Viera.

Si sono chiuse nel bagno dei disabili perché era più largo. Mentre ballava Viera si era tolta il maglione pesante ed era rimasta in canottiera nera e jeans. Non portava il reggiseno, ora si guardava nello specchio. Katarína le ha passato il pacchetto e lei l'ha scartato. Era un libro di poesie che si leggevano un tempo. Al liceo, alcune notti in cui Katarína dormiva dall'amica, Viera l'aveva convinta a spogliarsi per abbracciarsi nude sotto le lenzuola, poi con la luce tenue dell'abat-jour leggevano le poesie di Maša Hal'amová. Viera adorava quella delle mani invisibili e lontane che ogni notte accarezzavano nel sogno il volto amato.

Senza commentare il dono, Viera si è sbottonata i jeans, ha pisciato a mezza aria con le gambe divaricate sopra il water, come se Katarína si fosse evaporata all'istante, e se n'è andata con il libro infilato sulla schiena dietro la cintura.

Katarína ha sputato nella tazza, le è venuta voglia di ficcarsi il dito in gola per vomitare tutto quel magnifico cibo che aveva ingurgitato per ore. Non era più al centro dell'attenzione di Viera, il giocattolo della serata era la fresca Noemi.

Non era più al centro dell'attenzione di nessuno. Si è sfilata la fede dall'anulare e l'ha messa nel portafoglio, lì insieme alla catenina con la foglia "imperfetta" avrebbe trascorso il resto della serata. Si è tolta anche gli scarponcini, un senso di liberazione, in entrambi i casi, enorme. Ha alzato il mento e si è guardata allo specchio. Nello sguardo le è parso di scorgere la decisione appena presa e le guance si sono tinte per un attimo di rosso. "Vaffanculo!" ha detto a nessuno e a tutti, sé stessa e Viera comprese, ed è uscita dal bagno.

Quando, sempre con gli scarponcini in mano, è tornata al tavolo, ha trovato Viera che discuteva animatamente. In sala si era fatto semibuio, se prima la pista era illuminata come fosse giorno, ora solo alcuni fasci di luce perquisivano il locale, lasciando la maggior parte dello spazio in oblio. Katarína si è abbandonata sulla sedia, le dolevano le gambe, conosceva quel dolore, non aveva niente a che fare con la stanchezza, erano i nervi. L'aveva ereditato dalla madre, le vene che si gonfiavano nelle cosce, nel profondo della carne per assimilare lo stress.

"Fumi?" Michele le ha brandito qualcosa davanti la faccia e Katarína ha sentito un odore familiare. Il ragazzo le sorrideva, sembrava così spensierato e leggero. I ricci scuri gli cadevano sugli occhi, lui allora inclinava la testa di lato per guardare attraverso. Si è abbassata per rimettersi le scarpe mentre lui aspettava vicino alla sua sedia, prima di rialzarsi ha fatto un lungo respiro, poi lui le ha teso la mano e lei l'ha presa.

Fuori la temperatura era di sicuro più alta che a Bratislava, ma Katarína tremava, avvolta nell'accappatoio umido dell'aria. Il ristorante si trovava in un parco, si sono incamminati su un sentiero che lo tagliava a metà.

"Lì," Katarína ha indicato un albero massiccio illuminato dai fari incastonati nel prato, lo hanno raggiunto e si sono appoggiati in un punto dove la luce non arrivava. Michele ha acceso la canna e ha tirato, poi gliel'ha passata. Il gusto era diverso da quelle che Katarína aveva fumato nei pub di Bratislava, più intenso. O forse lo era solo perché erano attorniati dal verde sconfinato del parco, non pareva nemmeno di trovarsi in città. (Per arrivarci con Viera avevano pagato un taxi.) Sentiva i muscoli delle gambe che si rilassavano, le fitte che aveva avvertito prima si erano dileguate, la minaccia del freddo, scomparsa.

"Italia, ti amo!" ha gridato d'un tratto e Michele ha sorriso.

"Va molto bene, questo."

Quando sono tornati dentro, Katarína ha scalciato gli scarponcini sotto il tavolo e ha tirato Michele sulla pista. Ha ballato come ballava una volta, quando uscivano con Viera e si mettevano una di fronte all'altra, sotto le luci stroboscopiche a scomparire e rinvenire ogni millisecondo in posizioni diverse. Il ritmo la seduceva, forse da piccola avrebbe voluto imparare a danzare. Il pianoforte era stato il desiderio di Dora, aveva martellato così tanto i loro genitori che alla fine, quando si era presentata l'occasione, il padre gliel'aveva comprato. Dopo un paio di mesi, il suo grande amore per lo strumento era sfumato, ma il piano ormai faceva parte della casa, e dell'inventario dei rimproveri della madre. Anche per quello il dovere di imparare a suonarlo era ricaduto su Katarína. Ma se fosse stato per lei, avrebbe ballato e ballato.

"A cosa pensi?" le ha gridato Michele nell'orecchio. Katarína si è guardata attorno, sulla pista erano rimasti in pochi, attorno ai tavoli nel buio solo delle sagome nere che era sicura fissassero lei. Un raggio di luce viola ha illuminato la faccia del ragazzo con i ricci, gli occhi gli brillavano, pareva un fotogramma ritoccato.

"Michele," ha detto Katarína, ha alzato la mano e lo ha tirato a sé. Baciandolo era come se avesse rotto una diga in lui, l'onda d'urto la portava lontano, lontano e lei si lasciava trasportare. Non è venuto nessuno a tirarla su, nessuna mano calda sulla schiena dopo la caduta. Forse perché non si trattava di una caduta.

24.

Il buio era così fitto che non riusciva a capire se aveva gli occhi aperti o chiusi. Sapeva dove si trovava ma non si ricordava la disposizione della stanza, né dove aveva lasciato i vestiti. Se n'era andata via dalla festa con il ragazzo con i ricci. "Vuoi?" le aveva chiesto. Nell'appartamento che il gruppo aveva in affitto, in una delle camere, Michele aveva spinto due letti verso il muro, poi aveva coperto l'abat-jour con una maglietta.

"Attenta, in mezzo c'è il buco," Michele aveva indicato il letto matrimoniale improvvisato e lei aveva sorriso. Le era parso di avere braccia troppo lunghe, simili alle ali, aveva provato a muoverle.

"Stai bene?"

"Non sono abituata," gli aveva mostrato i palmi, si controllava per non ridere. Era avvolta in una nebbia in cui tutto arrivava in ritardo, ma dietro quel sipario c'era lei che cercava di registrare l'andamento della notte.

È suonato il campanello, poi il silenzio e di nuovo il campanello. Michele al suo fianco è scattato, lo ha sentito sbattere nel buio contro qualcosa e imprecare, dopo, uno spiraglio di luce è entrato dalla porta. Katarína era sdraiata sul letto, coperta dal piumino. L'ha visto attraversare la piccola cucina tirandosi giù la maglietta. Quando Michele ha aperto la porta d'ingresso è stato sommerso dalle battute dei suoi amici, Noemi non c'era.

Poi è tornato in camera e Katarína è stata riavvolta dal buio. Si è infilato nel letto alzando un po' la coperta, lo spiffero gelido l'ha fatta rabbrividire. Si è spinto verso di lei, l'ha sfiorata sotto il sedere, nel punto dove si piega e diventa coscia, ha trattenuto la mano lì, nello spazio di mezzo, dalla cucina è arrivata una risata sommessa dei ragazzi. La carezza ha fatto riaffiorare in Katarína le immagini della notte. L'aveva aiutata a sfilare il vestito rosso e lui si era tolto la camicia, aveva i peli sul petto e Katarína aveva intravisto per un attimo quello glabro di Eugen. Gli aveva tappato la bocca, l'anulare nudo contro le labbra del ragazzo con i ricci. Era stato strano aprire le gambe e sentire su di sé un peso diverso dal solito. Aveva scacciato via anche quel pensiero. Michele aveva chiuso gli occhi, concentrato, pareva che gli costasse fatica controllarsi, quando li aveva riaperti aveva sospirato: "Sei troppo bella, *Caterina*!". Lei allora d'impulso si era allungata verso l'abat-jour e aveva tolto la maglietta, la luce si era riversata su di loro e Michele aveva squittito come ferito da quella vista. Katarína aveva sorriso, si era guardata, era bellissima. Peccato quel corpo per un uomo solo, aveva pensato a Eugen, alla sua ombra che stava lì, da qualche parte nella stanza o direttamente dentro di lei a guardare mentre faceva sesso con uno sconosciuto. Aveva baciato il collo al ragazzo con i ricci come piaceva a suo marito, li aveva sentiti gemere entrambi.

Michele ha tossito e Katarína ha trattenuto il fiato. A Eugen a volte mancava il respiro, soprattutto nelle notti più fredde, anche lei allora tratteneva l'aria nei polmoni finché non lo sentiva respirare, le pause erano lunghe, ma poi riprendeva tutto come prima. La mano di Michele sulla sua coscia pesava un po' ora, come una pagnotta appena sfornata, sarebbe stato facile spostarla ma Katarína non aveva voglia di farlo. Con Eugen, dopo aver fatto l'amore, si ritirava dalla sua parte del letto e lui faceva lo stesso, nell'ultimo periodo per dormire avevano bisogno ciascuno di uno spazio proprio. Michele sembrava cercarla nel sonno, era strano, come un riverbero di una vita passata, ma bello.

L'inverno precedente Eugen tornava da Londra sempre più stanco. Troppo lavoro, ripeteva. Quando veniva si dedicava a lei, funzionava per compartimenti stagni. A Natale erano rimasti a casa, da soli. Katarína aveva cucinato la carpa, l'aveva comprata già porzionata e l'aveva servita su una teglia, si era seccata tantissimo. Eugen più tardi aveva ordinato il sushi.

Il giorno dopo erano andati dai suoceri, un caffè pomeridiano veloce, Lenka e il fidanzato di turno piazzati lì dalla mattina. Mezz'oretta di sorrisi, le aveva promesso Eugen, tutto qui. Il Capodanno lo avevano accolto in piazza della Città Vecchia, sotto l'Orologio astronomico, insieme a centinaia di persone. Katarína aveva sentito contare in italiano, inglese, francese, tedesco, ma soprattutto italiano. Faceva freddo, avevano bevuto *pálenka*, *vánoční punč*, *medovina*, ma l'alcol non arrivava in testa, rimaneva in basso a tenere caldo il corpo. Avevano incontrato Lukáš sotto la torre del ponte Carlo, li aveva abbracciati insieme, la sua testa in mezzo alle loro, rideva, avevano guardato i fuochi d'artificio sopra la Moldava, i riflessi colorati sull'acqua nera.

Michele si è mosso e la sua mano è scivolata lungo il fianco di Katarína. Durante la notte le aveva parlato tanto, le chiedeva cosa voleva, come. A un certo punto aveva sussurrato "lasciati andare" e lei aveva aperto la bocca per liberare la voce. Il mondo si era infilato in quel suono, si creava e si distruggeva per sempre.

L'ha svegliata la luce che penetrava dalle tapparelle rialzate e il vociare dalla cucina. Si è seduta sul letto per guardarsi attorno, Michele non c'era. Il vestito rosso era sulla poltrona, lo ha preso in mano, puzzava di fumo. Per terra ha ritrovato anche le mutande e il reggiseno, e la sua borsa. Si è rivestita in fretta ed è uscita dalla stanza.

In cucina faceva un po' più caldo, seduti attorno al tavolo c'erano Michele, la ragazza bassa che chiamavano Titti e l'altro amico di cui Katarína non ricordava il nome. Quando l'hanno vista, si sono ammutoliti, poi Michele le ha chiesto se voleva il caffè e Titti le ha passato una fetta di panettone: "Assaggia, è artigianale". Il tavolo era ricoperto di briciole, in mezzo una bottiglia di spumante aperta e una moka gigante.

Katarína non aveva mai mangiato un panettone, al liceo ne avevano parlato, c'era anche una foto sul libro di testo, poi ne aveva vista una confezione di Bauli al Tesco. Si era fatta l'idea che fosse una specie di *bábovka* italiana. La fetta, che le aveva dato Titti, era lunga e l'impasto si sfilacciava. Katarína ha chiuso gli occhi, strano, era da tempo che non si soffermava sul gusto di ciò che mangiava.

Titti si è lamentata delle linee telefoniche, tutte intasate a mezzanotte, ha parlato con i suoi solo all'una. "Tu sei riuscita a chiamare?" ha chiesto a Katarína.

"No."

Katarína ha pensato ai suoi genitori. Probabilmente avevano passato la serata davanti alla tv, come ogni anno, a guardare qualche show preparato apposta per la notte di Capodanno: canzoni e sketch comici che non fanno ridere. Una volta sì, negli anni del regime bastava un accenno, piccolo, innocente da parte degli attori a far sbellicare il pubblico. Dopo la caduta, il *Televarieté* è stato rimpiazzato da altri programmi. Sua madre soprattutto rimpiangeva *Bohdalka*, l'attrice ceca che le faceva venire le lacrime agli occhi, Jozef avrebbe voluto cambiare canale, mettere un documentario, ma lei si arrabbiava: "Nemmeno a Capodanno si può vivere?". Avevano litigato anche questa volta, forse. Katarína ha bevuto il caffè, l'amaro si è mescolato in bocca con la dolcezza leggera del panettone.

"Ma hai parlato a tua sorella," ha obiettato Michele. Katarína si è girata e lo ha guardato stupita. Poi si è ricordata, era vero, aveva chiamato Dora mentre fumavano lo spinello. La voce di sua sorella si sentiva a tratti, con un'eco fastidiosa.

"Devi venire a trovarmi," le aveva detto Dora. Era la prima volta che la invitava. Poi la linea si era interrotta. Katarína, frastornata, aveva spento il cellulare.

"E Gloria e Ale?" ha domandato Michele a Titti che ha indicato la porta in fondo al corridoio. Hanno riso e poi hanno spiegato a Katarína che i loro due amici, Gloria e Alessandro, ogni volta che il gruppo faceva una gita fuori casa, finivano a letto insieme, ma negavano tutto.

A Katarína è andato il pezzo di panettone di traverso e Titti ha fatto una smorfia.

Poi c'è stato un attimo di silenzio.

"Sono cose che capitano," ha detto, alzando una spalla, il ragazzo di cui non ricordava il nome. "Mai a me," ha mormorato dopo un po' e hanno riso tutti, anche Katarína. Michele le ha sfiorato il braccio, l'ha guardata attraverso i ricci come aveva fatto di notte quando le diceva che era troppo bella. Lei ha distolto lo sguardo e raccolto la borsa da terra, ne ha tirato fuori il telefono e lo ha acceso. Le guance se le sentiva rosse, se le è massaggiate con una mano mentre sbirciava lo schermo che si rianimava lentamente. C'erano diciassette chiamate, tre di Viera, tutte le altre di Eugen, il suo ultimo tentativo di raggiungerla era stato di quaranta minuti prima.

"Tutto bene?" ha chiesto Michele.

"Devo andare," si è alzata e ha frugato tra i giubbotti appesi sull'appendiabiti in cerca del suo. Avrebbe voluto dire a Michele qualcosa di sensato ma nella testa i pensieri cozzavano uno contro l'altro, animali inferociti.

"Viera ha il mio numero," ha detto invece Michele e le ha sorriso incoraggiante come se avesse intuito il caos che le si scatenava dentro. Katarína ha annuito ed è uscita dall'appartamento, giù per le scale fino alla strada. Fuori ha inspirato l'aria del primo giorno di un anno nuovo, brillava.

25.

Katarína è arrivata al funerale in ritardo. Eugen era in seconda fila, vestito tutto in nero, di fianco a lui, un posto vuoto. Quando si è seduta, non si sono detti niente, solo per un attimo lei ha appoggiato la testa sulla sua spalla e lui ha annuito. Entrando si era vista nel vetro della porta, sopra il cappotto la sua faccia sembrava trasparente.

Un uomo in un abito da cerimonia parlava dal palco, dietro di lui, un sipario nero tagliava la sala da un lato all'altro. Katarína non lo stava ascoltando, da quando Eugen le aveva telefonato a malapena si reggeva in equilibrio. L'uomo si è spostato di lato, ha premuto qualcosa e il sipario si è aperto. Lì c'era la bara. Eugen ha iniziato a piangere.

Lukáš era lucido prima di morire. Come se l'urto l'avesse aiutato a smaltire la sbornia all'istante. Aveva detto agli infermieri dell'ambulanza che voleva parlare con il padre, di cercargli il telefono, ma non si trovava nell'auto distrutta dall'impatto con il tram. Uno degli uomini gli aveva prestato il suo, erano quasi le quattro del mattino e suo padre non aveva risposto, gli aveva lasciato un messaggio. Poco dopo Lukáš aveva perso conoscenza e nel tragitto per l'ospedale aveva smesso di respirare. Gli infermieri avevano tentato di rianimarlo ma il suo cuore non ne aveva voluto sapere. Avevano sostenuto poi che era stato un miracolo che fosse riuscito a parlare nelle sue condizioni.

A Eugen aveva telefonato la madre di Lukáš. Al termine della chiamata non si era trattenuta dal dirgli: "Perché non eri con mio figlio?". Una voce fuori campo le aveva gridato qualcosa e lei aveva riattaccato.

Si è asciugato le guance con il dorso della mano mentre sussurrava qualcosa. La bara ora stava scendendo in un posto dove non poteva seguirla nemmeno con lo sguardo. Le persone presenti al funerale si alzavano in piedi, lentamente, una coreografia che li coinvolgeva tutti. Il cerimoniere è andato dai genitori di Lukáš per stringere loro la mano. La madre ha emesso un urlo e il padre l'ha circondata con un braccio, pareva che più che confortarla, volesse spegnerla.

Katarína ha accarezzato l'avambraccio del marito, insieme si sono messi in fila davanti ai genitori di Lukáš. Eugen continuava a piangere e Katarína si è trovata a pensare che non lo riteneva capace di un pianto così vero, ma forse quella incapace era lei. Sentiva un peso che le premeva sul petto. Lei non viveva i dolori in quel modo, li seppelliva, non sapeva come fare altrimenti.

Lenka, la sorella di Eugen, si è unita a loro in fila. Indossava un vestito nero con sopra una grossa pelliccia, ha dato un paio di colpetti sul braccio del fratello: "Dai, su". Sembrava quasi infastidita. I genitori di Eugen si sono fermati vicino a loro. "Vi aspettiamo fuori," ha detto Robert. La madre di Eugen ha sfiorato la guancia di Katarína e poi ha seguito il marito. Lenka ha distolto lo sguardo e a Katarína è sembrato come se entrambe, ciascuna a modo suo, la compatissero. Si sono spostati qualche passo in avanti e Katarína ha guardato in direzione dell'uscita. Un gruppo di persone si tratteneva vicino alla porta, ha riconosciuto Radek, il collega che raccontava le barzellette sugli slovacchi, e al suo fianco la ragazza del ristorante, quella con cui aveva visto Eugen prima di Natale. Katarína sentiva il cuore battere contro le costole, ha desiderato che la ragazza fosse solo un'allucinazione, un'invenzione della sua mente. Le gambe d'un tratto sono diventate molli, per non cadere si è aggrappata a suo marito. Lo stringeva forte come se fosse quello il modo di tenersi l'amore. Poi è arrivato il loro turno, il padre di Lukáš aveva la stessa postura del figlio, solo una spalla era un po' più giù dell'altra. Ha dato una pacca debole sulla schiena di Eugen e la madre gli ha stretto il palmo con entrambe le mani. La stretta era dura, come in un crampo senza tregua.

Dopo Katarína ha trascinato Eugen verso l'uscita, le girava un po' la testa, anche per la stanchezza, era partita da Bratislava prima dell'alba. La sala lentamente si stava svuotando, la porta spalancata in fondo inghiottiva tutti. Appena fuori lei era lì. E anche Eugen l'ha vista, ma ha fatto finta di niente.

"Che ci fa quella?" Katarína si è guardata il palmo come se leggesse lì le parole che pronunciava: "Lei conosceva Lukáš?".

"Non è il momento, Kati, siamo a un funerale," ha detto lui. Gli voleva rispondere che avrebbe dovuto pensarci prima, ma la donna è venuta loro incontro. Portava un paio di occhiali da sole enormi come per nascondere occhiaie provocate dal pianto. Aveva uno stile così naturale, quasi familiare. Katarína ora tremava forte, ha lasciato l'avambraccio di Eugen e si è fermata. L'altra si è presentata come Angie, la collega di Eugen. A Londra i loro uffici erano confinanti. Aveva lo stesso portamento che Katarína aveva ammirato nelle donne italiane, una sicurezza di fondo di cui lei, ora lo capiva bene, era priva.

"*I'm so sorry for Lukáš*," ha detto e ha teso la mano a Katarína, lo smalto era bordeaux scuro, quasi nero, perfetto. Lei è rimasta a fissarlo per un attimo, poi ha incrociato le braccia. Era inglese, questo l'aveva spiazzata, non si era preoccupata della vita di Eugen a Londra, lo aveva sempre immaginato oberato dal lavoro e solo, nostalgico nel suo appartamento londinese. In quel momento si è data della stupida. Eugen ha ringraziato, parlava veloce e sottovoce, ha tentato di prendere Katarína per mano, ma lei, con le braccia sulla pancia, non si è mossa. Era pallido, gli occhi arrossati, non stava più piangendo, si strofinava il mento con la mano che tremava leggermente. Non portava più la fede, come lei. Chissà quando l'aveva tolta? Era importante?

"Eugen," ha detto la donna, pronunciandolo all'inglese, lui si è girato, come se fosse abituato a sentirsi chiamare così.

Katarína si è incamminata verso il parcheggio, ha accelerato il passo, stava quasi correndo. È passata di fianco a Radek che l'ha salutata, ma lei lo ha ignorato, con la coda dell'occhio ha intravisto i genitori di Eugen con Lenka che le faceva il segno di andare da loro. Si è chiesta se era stata l'unica a non sapere, l'ultima a capire. La rabbia le si accumulava dentro la gola, aveva voglia di gridare. Qualcuno l'ha chiamata per nome, sembrava la voce di Daniela, si è girata e ha visto la sua amica sulla porta. Per un attimo ha esitato, poi ha ripreso a camminare mentre Eugen, ora ne era certa, la stava seguendo e, anche se era furibonda, sapeva che era meglio così, che se l'avesse lasciata andare via da sola, non avrebbe retto. Ha aperto la portiera e si è seduta al volante, Eugen al suo fianco. Sono rimasti in silenzio, con i respiri che pian piano si calmavano.

"Mi dispiace," ha detto lui.

"Per cosa, precisamente, ti dispiace?"

Katarína senza aspettare la risposta ha messo in moto e sono partiti. Ha preso Vinohradská che percorreva mesi prima, quando tutto sembrava normale, quando lei parlava con Eugen e Lukáš innaffiava i pomodori. Ha preso la circonvallazione, fuori il cielo era grigio, una lastra di metallo sopra le loro teste. Ha rimpianto il sole di Bologna, il brio onnipresente nell'aria, forse i lutti si sopporterebbero meglio avvolti in quella luce gentile. Viera l'aveva accompagnata alla stazione, Noemi era rimasta al calduccio sotto le coperte. Viera si massaggiava la testa, mentre Katarína allo sportello pagava e ritirava il biglietto per Vienna, poi si erano spostate sul binario e, appoggiate su una colonna di cemento, Katarína si era lasciata abbracciare dall'amica, avrebbe voluto chiudere gli occhi e non pensare a niente. Di nuovo le dolevano le gambe, le fitte nelle cosce erano forti, aveva avuto paura di non riuscire più a muoversi, aveva baciato Viera sulle labbra, come faceva con Dora quando erano bambine. Viera allora le aveva preso la testa fra le mani e l'aveva guardata, i suoi occhi parlavano, le ricordavano tutti quegli anni trascorsi insieme a farsi scudo a vicenda. Poi Viera l'aveva baciata, un bacio gentile, senza urgenza o promesse, un contatto profondo. Katarína per un attimo aveva smesso di pensare a Eugen e a quella telefonata, seguiva il bacio, il suo percorso, fino alla fine.

"Lo sai vero?" le aveva detto Viera dopo. Katarína non aveva distolto lo sguardo come faceva sempre. Sì, lo sapeva. Sapeva tante cose adesso.

"È questo quindi il tuo posto," aveva constatato forse più per sé che per Viera, "Bologna?"

Viera aveva alzato le spalle: "Ma non è importante". Poi l'aveva stretta di nuovo a sé, Katarína l'aveva sentita inspirare fra i suoi capelli, come un desiderio a lungo trattenuto. Attorno passavano persone, nessuno sembrava fare caso a loro.
"Puoi fermarti?" ha detto Eugen all'improvviso. "Puoi fermarti?" ha ripetuto, lo sguardo fuori dal finestrino. Katarína ha guidato per altri dieci minuti, sono arrivati a Letná, la collina sopra il centro della città dove a primavera venivano a passeggiare. Il parcheggio era deserto, per terra le lattine accartocciate di birra, il vetro rotto e le cicche calpestate, ovunque gli strascichi del Capodanno appena trascorso. Sono usciti dalla macchina e Katarína è stata scossa dai brividi, il vento lì su era più forte. Aveva bisogno di camminare, le sue gambe, mosse da quel desiderio la portavano via, con Eugen dietro. Si è fermata solo sotto il metronomo, la piramide d'acciaio che

con il suo braccio rosso scandiva il passare del tempo. Suo padre, quando era bambina, le aveva raccontato della statua di Stalin che molti anni prima occupava lo stesso piedistallo, era la più grande d'Europa e rappresentava lui con dietro due gruppi di persone, il popolo dei cechi e degli slovacchi e quello sovietico, uniti dietro il loro leader. Suo padre nel raccontarlo rideva, diceva che i praghesi, sarcastici come sono, lo avevano ribattezzato "*fronta na maso*", la fila per la carne. Lei, seduta sulle ginocchia di papà, si sbellicava dalle risate perché fare un monumento alle code era da veri pazzi.

Katarína si è affacciata al muretto, sotto di lei la Moldava come linfa vitale circondava la città. Il cuore di Praga, la piazza della Città Vecchia, era illuminato a festa, in mezzo un grande albero di Natale. Si vedeva anche la Torre Žižkov. Eugen al suo fianco sembrava guardarla.

Il vento si è calmato un po', solo il braccio imponente del metronomo spostava l'aria sopra le loro teste.

"Perché era al funerale?" ha chiesto Katarína.

"Non posso vietare a nessuno di venire a dare l'ultimo saluto a un amico."

Katarína ha guardato suo marito, ma lui continuava a fissare un punto davanti a sé. Non si aspettava una risposta così, lui si stava difendendo. Il braccio metallico ha fatto whoooosh e a lei è parso come se invece dell'aria tagliasse una fetta della sua vita, via.

"Ma lei lo conosceva?"

"Sì."

"Bene?"

Eugen, spazientito, si è girato: "Io ti conosco bene? Tu mi conosci bene?".

"Sai cosa voglio dire."

"Sì, Lukáš la conosce," Eugen si è strofinato gli occhi, "conosceva Angie."

Whooosh.

"Perché mi hai cercata?"

Eugen ha scosso la testa, sembrava non capire: "Sei mia moglie".

Katarína si è morsa la guancia per non sputare una risposta sbagliata, non era il momento.

"La notte di Capodanno mi hai telefonato tante volte, pensavo fosse per Lukáš, ma le chiamate perse erano prima dell'incidente."

Eugen si è strofinato il ciuffo dei capelli, il gesto che faceva quando era nervoso.

"Non so, Katarína, ero confuso."

"Confuso?"

Whooosh.

Eugen ha fulminato il metronomo con lo sguardo.

"Andiamo via, questo coso mi dà sui nervi."

"Eravate insieme la notte di Capodanno, vero?"

"E tu?" Eugen l'ha presa per il cappotto e l'ha tirata a sé. Katarína ha visto le sue guance che si coloravano di rosso e una vena che gli pulsava sulla fronte. Poi d'un tratto l'ha mollata e si è appoggiato con i gomiti sul muretto.

"Angie è arrivata la sera prima di Capodanno. Io avevo promesso a Lukáš che sarei andato a quella sua stupida festa." Eugen si è preso la testa fra le mani, la sua schiena ha sussultato più volte. Katarína avrebbe voluto toccarlo ma sentirlo pronunciare quel nome l'ha bloccata, le è sembrato come se anche il suo cuore nel petto si fosse fermato in attesa di qualcosa.

"La ami?"

Eugen ha alzato le spalle e scosso la testa. Katarína ha iniziato a tremare violentemente. Lui si è rialzato e l'ha abbracciata.

"È appena morto Lukáš, io non capisco più niente," ha sussurrato tra i suoi capelli.

26.

Si è guardata le mani sul volante, erano pallide e le vene spingevano contro la pelle, un ricamo irregolare. Stavano attraversando il ponte di Štefánik, Eugen con la testa rovesciata indietro sul sedile del passeggero aveva gli occhi chiusi. In dieci minuti sarebbero arrivati a Škroupovo náměstí. Da bambina, quando Katarína guardava i cartoni animati in televisione ed erano in ceco, non le sembrava strano. Praga era allora la capitale della loro patria socialista, così dettava loro "la compagna maestra" alla scuola elementare. Con i genitori, una volta, ci era venuta in gita, avevano passeggiato per il ponte Carlo, in piazza della Città Vecchia avevano aspettato sotto l'orologio astronomico fino al battere dell'ora per vedere passare gli apostoli nelle finestrelle. Nessuno dei tre fratelli sapeva chi fossero gli apostoli, *Orloj* sembrava un miraggio del passato, un orologio a cucù più sofisticato. Sotto, alcune persone guardavano in silenzio verso l'alto, qualcuno forse scattava le foto, niente a che vedere con la folla di turisti eccitati che si creava ora. A Praga Katarína aveva anche scoperto che lo slovacco faceva ridere. I cechi li trattavano con sufficienza divertita, simile a quella di Dora quando snobbava Katarína e Jojo solo perché più piccoli di lei. Chissà cosa avrebbe detto Dora di Praga adesso? La capitale con le sue scritte in inglese onnipresenti, con le guide che offrivano il tour per la città come se fosse un percorso in un parco di divertimenti, con i ristoranti in centro dove i locali non mettevano più piede. Lo sapeva Dora che nei chioschi delle piazze il *Skalický trdelník* veniva spacciato per il dolce tradizionale praghese? Sì, quel rotolo ricoperto di noci, mandorle e zucchero a velo, di cui Jojo era così ghiotto, glielo portava il padre dalle gite scolastiche dal nord-ovest della Slovacchia. Ne avrebbero riso se fossero state insieme.

Il volante è diventato scivoloso, Katarína lo ha stretto più forte e ha rallentato. Si è guardata di nuovo le mani, erano uguali a quelle di sua madre. Avrebbe voluto chiedere a Dora: "Anche tu hai le sue mani?".

In quell'ultima telefonata a Capodanno sua sorella le aveva detto che era sola. Non era solo il fatto che si era lasciata con Ian. Non avevano mai parlato della loro solitudine. Da quando Dora se n'era andata, nelle loro vite si era aperto un buco. La madre lo ignorava, diceva sempre, non nominando la maggiore, che i figli crescono e se ne vanno, era normale. Ma Dora non era cresciuta.

Katarína ha sbirciato Eugen, con la bocca leggermente aperta sembrava un bambino vinto dal sonno. Forse era anche per quello che aveva voluto così tanto un figlio, per mostrare a sua madre cosa significhi amarlo. La macchina ha sbandato verso il guard-rail e una Mercedes l'ha superata strombazzando. Katarína si è sforzata di concentrarsi sulla strada.

All'inizio Dora scriveva le sue impressioni, ciò che incontrava nella nuova quotidianità americana (questo ancora quando forse credeva che la distanza fosse solo una caterva di chilometri e che loro, le sorelle, sarebbero state connesse per sempre) ma già allora Katarína faticava a dare forma alle parole che leggeva. Che posto era Rockville? Perché per tornare a casa Dora doveva fare zig zag tra gli *homeless* che dormivano sulle scale? Che faccia aveva Madly, la coinquilina brasiliana? Piano piano le mail di Dora erano diventate sempre più brevi, frasi concise. Sto bene e tu?

Al semaforo alla fine della Wilsonova invece di prendere la corsia per Žižkov a sinistra, Katarína è andata dritta. Quando se n'è accorta ha girato e due macchine hanno dovuto frenare bruscamente per farla passare. Uno degli autisti le ha gridato degli insulti.

Le telefonate erano ancora più difficili. Le settimane che Dora staccava prima al Dunkin' Donuts, riusciva a chiamare Katarína a mezzanotte. Nel buio della casa a Dúbravka Katarína ascoltava gli scricchiolii nella cornetta mescolati con la voce della sorella, che le sembrava già diversa, cambiata. Poi avevano smesso anche con le chiamate. Il fuso orario le rendeva faticose e surreali.

Sulla U Rajské zahrady ha messo la seconda, le mani si muovevano in automatico, la macchina ha grugnito prima di risalire la collina, là, sopra Škroupovo náměstí, si stagliava la Torre Žižkov. Katarína ha parcheggiato in uno dei posti liberi e ha spento il motore. Ha avvertito che Eugen era di nuovo sveglio, non si sono mossi, come se nessuno avesse voglia di uscire, di fare il passo successivo.

"Non ha nemmeno bevuto," ha detto dopo un po' Eugen, guardava la Torre, sembrava che ogni parola gli costasse uno sforzo enorme. Katarína ha abbassato la testa. I vuoti, ha pensato. Una volta Lukáš le aveva confessato che soffriva di vertigini, non lo sapeva nessuno. Suo padre lo avrebbe voluto al suo fianco nel cantiere. "Come faccio a salire sulle impalcature?" aveva sorriso Lukáš guardandola negli occhi come se lei avesse potuto dargli una risposta. Era per quello che aveva cercato il padre prima di morire? Per dirgli: scusa papà, sono solo io, non riesco a essere diverso? "La macchina è scivolata sul ghiaccio, ha perso il controllo."

Eugen piangeva di nuovo, Katarína non lo stava guardando, vedeva solo le sue ginocchia che tremavano leggermente. Avrebbe dovuto chiedergli dove era lui, in quel momento, mentre Lukáš perdeva il controllo e si schiantava in macchina contro il tram.

"Io ero già andato via dalla festa," ha proseguito Eugen come a difendersi. Il Capodanno fra le nuvole, così Lukáš aveva chiamato la festa dell'ultimo dell'anno. Fra le nuvole.

"In quale albergo lussuoso di Praga l'hai portata?" la frase le è uscita più acida di quello che voleva. Eugen ha scosso la testa: "Andiamo a casa".

"Voglio sapere dove siete stati."

"Perché?"

Katarína ha premuto il clacson con il pugno. Il suono ha lacerato lo spazio fuori e dentro, un chiodo sulle tempie.

"Lei aveva preso una stanza al Pachtuv Palace, vicino a Smetanovo nábřeží."

L'albergo di Mozart, così era conosciuto lo sfarzoso edificio barocco. Si narrava che all'epoca il suo proprietario, l'aristocratico Jan Pachta, avesse obbligato il compositore, suo ospite, a scrivere dei brani per l'orchestra della villa chiudendolo in camera solo con carta, penna e inchiostro. Mozart ne era uscito con sei brevi balli. L'albergo perfetto per la ragazza inglese, ha pensato Katarína. Qualcosa di molto duro si faceva strada nel suo petto, risaliva alla superficie come una reliquia sepolta da troppo tempo.

"E poi?" ha chiesto con una voce incolore.

Eugen ha sospirato e ha cercato il suo sguardo per la prima volta da quando si erano rivisti al funerale. Lo ha fissato, tutto dentro di lei tremava, si polverizzava come sotto l'effetto di una bomba, ma lo sguardo lo ha mantenuto fermo su di lui. Katarína si è toccata la nuca, ha sentito una piccola crosta completamente rinsecchita, le è venuta voglia di staccarla, si è trattenuta e ha messo giù la mano. Gli occhi di suo marito la imploravano, non capiva cosa veramente volessero da lei.

Ha sfilato le chiavi ed è uscita dalla macchina, si è appoggiata per un attimo sulla portiera perché le girava la testa, poi ha sentito sbattere dalla parte di Eugen e si è staccata anche lei.

Davanti al portone di casa si sono fermati. Eugen ha posato la mano sul legno massiccio, ha tossito e poi ha detto: “Lei qui non è mai venuta”.

27.

Nell'ascensore le è arrivato un messaggio di Daniela. È stato liberatorio poter spostare l'attenzione per un attimo sullo schermo del telefono. Eugen l'ha guardata digitare la risposta senza chiederle nulla. Forse significava questo lasciarsi? Guadagnarsi il silenzio dell'altro? In quell'ascensore minuscolo che trasportava cose e persone tra i piani, all'inizio del loro matrimonio salivano appoggiati uno all'altra, un po' perché lo spazio era quello, un po' perché gli andava. Lo avevano battezzato "l'armadio", ogni tanto sapevano di qualcuno rimasto bloccato. Adesso mentre li stava trasportando a casa di Eugen, lo occupavano senza sfiorarsi. Katarína l'aveva sempre chiamata così, casa di Eugen. Lui, nel primo periodo, le aveva costruito una libreria vicino al letto e quella fetta perpendicolare rappresentava per lei un respiro. Eugen voleva che la chiamasse "casa nostra". Katarína si sbagliava e quando uscivano diceva "torniamo a casa tua". Nelle settimane in cui ci aveva vissuto da sola, l'aveva trasformata disseminando in giro tazze, libri, sciarpe, felpe. Lentamente lo spazio pulito ed efficace di Eugen aveva preso le forme di Katarína e lei, a volte, un attimo prima di addormentarsi, si sentiva a casa.

Fuori dall'ascensore Katarína ha guardato per un attimo la porta laterale, quella che dava sul tetto, dopo l'aborto non ci erano più saliti. Non sapeva che aspetto aveva ora il "loro" posto, forse era uguale a prima: le tegole arancioni, le parabole contro il cielo di Praga, forse lì non è cambiato niente.

Eugen ha aperto la porta d'ingresso piano, come un estraneo. Sulla mensola erano sparpagliate alcune bollette, aveva svuotato la buca delle lettere, ma poi le aveva lasciate lì ad aspettare di essere aperte e smistate. Era stata sempre lei a farlo. Sarà dura sradicare alcune abitudini, ha pensato Katarína, o forse no. Si sono tolti i giubbotti e le scarpe, il parquet era freddo ma non troppo, lui comunque è andato ad alzare la temperatura del termostato, a lei piaceva la casa calda. Katarína si è toccata la pancia.

"Hai fame?" ha chiesto Eugen.

Lo ha seguito in cucina, insieme hanno guardato nella dispensa. Lei ha preso un sacchetto di funghi secchi e li ha annusati.

"Facciamo la zuppa," ha detto. Eugen ha annuito un po' perplesso, ma non ha protestato. Mentre preparavano, lei che affettava la cipolla, lui che sbucciava le patate, non si sono detti molto. Eugen ha aperto una bottiglia di vino rosso di cui Katarína non conosceva il nome.

"È il regalo di Natale di Lukáš," ha detto Eugen alzando il calice, "ci voleva molto bene."

"A Lukáš," hanno brindato, Eugen ha buttato fuori un po' di aria, forse nel tentativo di alleggerire il petto, Katarína ci aveva rinunciato anni prima. Certe assenze non smettono mai di pesare. Ha guardato suo marito, era lì a un passo da lei, quasi seduto sul bordo del tavolo che cercava di non piangere per il migliore amico morto in un incidente assurdo. Se fosse stato con Angie, si sarebbe lasciato andare, lei forse avrebbe saputo come raccoglierlo da terra, come ridargli la forma che amava. E Katarína? Quale forma di Eugen amava lei? Non aveva mai imparato a camminare nel suo mondo a testa alta, gli zoppicava dietro o di fianco con gli occhi rivolti verso il basso. Non era un problema di suo marito e questo lo ha capito negli ultimi mesi, negli ultimi giorni forse. Era lei, il suo modo bucherellato di essere. Era stato sciocco aspettarsi da Eugen che la guarisse, infantile buttargli addosso la responsabilità delle proprie ferite. A Katarína si sono riempiti gli occhi di lacrime e ha sorriso: "Certo questo vino fa proprio schifo". Eugen ha fatto una smorfia di disgusto e si è asciugato le labbra con il dorso della mano, poi ha riso, una risata debole, una di quelle che lasciano soltanto un'impronta nell'aria. L'ha guardata quasi con gratitudine, si è staccato dal tavolo e si è avvicinato. "Lukáš capiva di vini quanto te," ha detto con dolcezza, le ha preso il bicchiere e lo ha appoggiato sul banco. Si sono abbracciati, le spalle di Eugen erano quelle di una volta, larghe, un recinto attorno a lei. Katarína ha chiuso gli occhi, per un attimo le è sembrato di sprofondare, come se sotto si fosse aperta una botola e se non si fosse aggrappata a quelle spalle ci sarebbe caduta dentro. Li ha aperti e sapeva che non era vero, non più. Si sono baciati, lui le ha toccato il seno e lei ha guardato la pentola che bolliva. Con la mano ha abbassato la fiamma. Ha tentato di concentrarsi ma una parte di lei stava lì, ferma, decisa a non fare niente. Lui se n'è accorto e piano piano ha smesso.

"Sei arrabbiata?"

"Non è per la rabbia."

Hanno aspettato che la zuppa fosse pronta e poi l'hanno mangiata seduti uno di fronte all'altra. Era nera e sulla lingua scivolava liscia. Katarína ha chiuso gli occhi, quando li ha aperti ha visto che Eugen la fissava.

"Cosa farai?" le ha domandato.

Non ha chiesto cosa faremo. Il noi che erano si era sgretolato lungo gli ultimi mesi. Katarína si è alzata e ha preso qualcosa dalla borsa sul divano, poi è tornata a sedersi. Gliele ha messe vicino al piatto, la catenina con la foglia "imperfetta" e la fede. Eugen ha preso fra le dita l'anello, l'ha rigirato più volte, poi ha detto: "Eravamo belli il giorno in cui ci siamo sposati. Tu sei sempre bellissima".

"Forse abbiamo avuto troppa fretta."

Eugen l'ha guardata di nuovo.

"Lo rifarei. In quei giorni eravamo felici, io lo ero, dopo non lo so. Non riesco a sentirti, non mi lasci mai entrare," ha scosso la testa. "Sei un rompicapo troppo difficile per me, non ce l'ho fatta."

"Non era giusto chiedertelo," ha sussurrato Katarína.

Eugen ha appoggiato piano la fede sul tavolo, poi si è strofinato il mento, pareva provato.

"Andrò a Roma, a fare un colloquio all'Istituto slovacco di Cultura," ha detto dopo un po' Katarína con dolcezza. Lui ha sorriso e lei ha avvertito come una brezza sul capo e anche intorno al collo.

"Bello."

È stata Daniela a mandarle la mail con l'annuncio del ministero degli Esteri che cercava un'addetta all'accoglienza per la sede di Roma. Il giorno stesso che era tornata da Bologna, aveva mandato il curriculum, le avevano risposto subito fissando l'appuntamento per il 21 di febbraio. Aveva un mese e mezzo di tempo.

"Io credo che andrò a vivere a Londra," ha detto lui.

Era tutto molto veloce, ma quando si arriva a un bivio, la vita sceglie e Katarína sapeva che poteva solo seguirla. Le parole non dette, le attenzioni mancate sono quelle a far maturare le decisioni. Sembrano brusche, le scelte, ma solo perché arrivano addosso sul momento: una punta dell'iceberg che finalmente si vede.

"Avevo già pensato di prendere tutto," ha detto lei sottovoce.

"Non c'è fretta, forse vorrei affittare la casa ai turisti."

"Magari saranno più felici di noi."

"O più fortunati."

Katarína ha annuito, le girava di nuovo la testa, ha appoggiato i piedi scalzi sul pavimento, il parquet ora era tiepido, il calore le entrava dai talloni e si irradiava fino ai polpacci. Ha chiuso gli occhi di nuovo, attraverso le palpebre penetrava una luce arancione, intorno alle caviglie quella stretta di calore, ha sorriso. Forse ciò che aveva imparato in quei due anni e mezzo di matrimonio con Eugen era stare da sola. Il buio che si portava dentro era solo buio, sotto scorreva la vita, per tutti, anche per lei.

28.

Era stato un azzardo comprare i biglietti senza avere il visto in mano, ma Katarína non aveva potuto aspettare. Arrivata con l'anticipo di due ore come le aveva raccomandato l'impiegata dell'agenzia di viaggi, ha controllato il numero del suo volo sul pannello dei decolli, partiva dal terminal Sever 2. Avrebbe fatto scalo a Monaco, non esistevano voli diretti da Praga a Washington. L'appuntamento all'ambasciata americana l'aveva avuto il giorno prima, la donna allo sportello aveva ispezionato minuziosamente le carte e poi le aveva chiesto il motivo del viaggio. "Turismo," la voce di Katarína era leggera, come se fosse davvero l'unica ragione. Ha estratto l'asta del trolley e si è incamminata seguendo le frecce per Sever 2. Il trolley era abbastanza piccolo, un bagaglio a mano da cabina, non l'aveva imbarcato al check-in anche se l'addetto aveva voluto controllare le misure. Lo aveva comprato appositamente per quel viaggio, si portava poco e da quel poco non si voleva separare, le cose andavano imparate piano.

Lunedì prima della partenza era passata alla scuola di lingue, aveva parlato con la direttrice, una donna energica che si era arrabbiata perché Katarína avrebbe dovuto riprendere a insegnare il giorno dopo. "È molto irresponsabile," ripeteva la direttrice guardandola, Katarína si era mostrata d'accordo. Quando alla fine era uscita dall'ufficio sorrideva. Ci aveva lavorato per due anni, spesso dubitava del senso di quel ruolo. Una volta al mese le arrivava la paga e lei la metteva da parte, ancora non sapeva a cosa sarebbero serviti quei soldi. Ora teneva in mano il biglietto per Washington. Sua madre non era d'accordo, avrebbe dovuto comprare qualcosa di materiale, un letto, un armadio, una macchina. La possibilità di volare negli Stati Uniti non faceva parte del suo inventario. Gli aerei che decollavano per lei finivano nel nulla, anche sua figlia era finita nel nulla. E Katarína adesso andava a trovarla.

Il tappeto mobile la trascinava lungo un corridoio spazioso verso le piste, si è appoggiata sull'asta della valigia e ha guardato fuori. La giornata era grigia. Ha sentito un *bip* del messaggio, era Viera, diceva "salutamela!".

Quando era partita Dora stava piovendo e la stazione degli autobus di Bratislava non aveva ancora avuto il tempo e l'occasione di smettere di essere ciò che era sempre stata, un luogo di smistamento degli autobus vecchi e sporchi che trasportavano persone abituate a tenere la testa bassa perché era quello che gli chiedeva il loro paese. I giovani come Dora, o Viera, non ci riuscivano. Katarína aveva pensato che sua sorella lasciava lei, non la Slovacchia, non il loro piccolo mondo, solo lei. Ma Dora aveva seguito la propria strada, a volte per andare avanti bisogna abbandonare e abbandonarsi, a Katarína era chiaro adesso.

È scesa dal nastro nero, fuori iniziava a cadere la neve, ha camminato nella hall piena di negozi luminosi. Al gate 9 si è seduta su una delle grigie sedie metalliche, intorno a lei piccoli gruppi di persone: famiglie, coppie, uomini e donne con le borse ventiquattrore o con il laptop sulle ginocchia.

Il trolley era arancione, un colore che a Eugen non sarebbe piaciuto, ma a lei dava fiducia. Ha guardato fuori, un aereo era fermo sulla pista, le piaceva l'idea di volare con quel tempo, di correre il rischio. La vita si sente di più quando si è in pericolo, quando si avverte la minaccia di perderla, la possibilità di fallire. Come con il loro matrimonio.

Anche l'idea della Cecoslovacchia era fallita. Bratislava era diventata la capitale di un paese che nessuno conosceva, Praga, la magica, lusinghevole e perfida aveva attirato le folle per essere dissanguata. Ciò che non era cambiato era la posizione dei due paesi, uno a fianco dell'altro. I loro figli non avrebbero smesso di intrecciarsi, di cercarsi, specchi di loro stessi, a volte innamorati, a volte indifferenti, ma intenzionati a guadagnarsi il proprio posto nel mondo. Forse doveva andare così.

Era l'alba quando aveva lasciato la casa di Eugen. Era sgattaiolata fuori dal letto mentre lui dormiva girato sul fianco come sempre. Si era vestita e aveva preso la borsa dal divano.

Prima di andarsene, Katarína si era spruzzata il profumo nel buio dell'ingresso. Si era fermata per ascoltare i rumori della casa, il ronzio quasi impercettibile del frigo, il sussurro familiare dell'acqua nei termosifoni, le era sembrato di sentire lo scricchiolio del letto, forse Eugen si era girato. Aveva appoggiato sulla mensola le chiavi e chiuso delicatamente la porta di casa, era pronta.

Ringraziamenti

Un grazie particolare all'archivio *Pamět' Národa* per le preziose testimonianze che ho potuto consultare.

Grazie a Francesca Zoppei che mi ha aiutato a orientarmi nella sintassi italiana e in me.

Grazie a Ivano Porpora e agli amici che ho conosciuto ai suoi corsi di scrittura, è stato lì che la mia scusa – sono straniera – non ha più retto.

Grazie a Laura Cerutti per averci creduto subito.

E grazie a Raffaella Lops, ma lei sa già.